D1270343

L'Art
DE LA FRUGALITÉ
ET DE LA VOLUPTÉ

Du même auteur

Chez le même éditeur
L'Art de la simplicité, 2005
L'Art des listes, 2007

DOMINIQUE LOREAU

L'Art
DE LA FRUGALITÉ
ET DE LA VOLUPTÉ

MARABOUT

« Trop manger est un vice romain, mais je fus sobre avec volupté. Hermogène n'a rien eu à modifier à mon régime, si ce n'est peut-être cette impatience qui me faisait dévorer n'importe où, à n'importe quelle heure, le premier mets venu comme pour en finir d'un seul coup avec les exigences de ma faim. »

Marguerite YOURCENAR,
Les Mémoires d'Hadrien

Sommaire

Introduction 11

PREMIÈRE PARTIE
COMMENT MOINS MANGER

Redécouvrir faim et satiété 17

Comment ramener l'estomac
à sa taille naturelle ?.. 25

Pas de régimes, mais des autolimites................. 31

DEUXIÈME PARTIE
RÉDUIRE SES PORTIONS

Le concept des portions :
adieu calories et pesées ! 45

Les boissons 57

Réduire la taille des contenants........................ 63

TROISIÈME PARTIE
LA CUISINE, SOIN DU CORPS ET DE L'ÂME

L'importance de cuisiner 75

Les courses intelligentes 83

Le o bento 91

Composer ses menus 97

Une cuisine fonctionnelle 103
À vos fourneaux… 111

QUATRIÈME PARTIE
VOLUPTÉ ET NOURRITURES DE L'ÂME

Nos sens et la volupté 121
N'accepter qu'un goût parfait 129
Appétit et esthétique 137
Convivialité et repas pris en commun 143
Les nourritures invisibles 149
Les nourritures de l'âme 153
Les nourritures du ki 161
Conclusion 165
Listes des courses… 168
Liste des quantités… 171
Liste des ustensiles… 172
Quelques techniques… 174
À propos des recettes… 180

INTRODUCTION

« Tout le savoir humain n'a de valeur
que s'il peut nous guider dans notre
conduite pratique. »

L es sociétés d'aujourd'hui proposent pléthore de biens
supposés contribuer à la félicité de la vie humaine :
jouissances intellectuelles et artistiques, loisirs, commerces
regorgeant de denrées... Pourtant, les statistiques ne cessent
de constater une augmentation du nombre de personnes
atteintes de dépression nerveuse, stress, mal de vivre, obé-
sité.

Comment en sommes-nous arrivés là en à peine un demi-
siècle ? La réponse est simple : avec une frénésie de consommer toujours plus grande. Avant la société de consommation, chacun se nourrissait des produits de son jardin, de sa
basse-cour, de ceux des champs, de la pêche ou de la chasse.
On se considérait heureux lorsqu'on avait un toit, un bon
feu de bois et un jour de repos par semaine.

Mais, aujourd'hui, la société a fait de nous des hommes
malades, nous réduisant à n'être que des machines à consommer, des œsophages à remplir, encore et toujours. Les vitamines, produits de régime, somnifères, cures d'amaigrissement
et autres conséquences d'une mauvaise hygiène de vie sont

eux-mêmes partie intégrante de cette insatiable machine. Nous oublions trop que cette dépendance nous transforme en des objets de spéculation et de profit, des êtres auxquels on dicte, comme à un enfant, ce qu'il y aurait de meilleur. Pourquoi nous laissons-nous manipuler de la sorte ? Pourquoi encourageons-nous, par notre façon de vivre et de consommer, ce que nous savons pourtant faire notre malheur ? Qu'est devenu le bon sens ?

Nul n'ignore que la plupart de nos maux proviennent bien souvent d'un manque croissant de repères personnels quant à ce que nous choisissons de mettre dans nos têtes, nos cœurs ou nos estomacs. Nous qui prônons tant un retour à la nature, nous oublions que la nature est d'abord en nous et qu'elle ne nous a pas destinés à être gros, gras, stressés ou malheureux. Pourquoi détruisons-nous ce cadeau merveilleux que la vie nous a offert en nous encombrant, tant moralement que physiquement ?

En matière d'alimentation, plus que dans d'autres domaines, il n'est pas très compliqué de retrouver les règles du bon sens : manger moins, ne consommer que des produits de qualité, cuisiner soi-même, prendre du temps et du plaisir à manger et, surtout, ne pas accorder à ces activités plus d'importance qu'elles n'en ont, en réalité. Se nourrir, ne l'oublions jamais, a pour but premier de maintenir le corps et l'esprit en bonne santé afin d'atteindre des sommets plus élevés de la conscience.

Plus que les toxines et les vitamines, ce sont le mental et la joie de vivre qui conditionnent notre santé. Si l'homme a besoin d'air frais, de soleil, d'eau pure et d'exercice, il a aussi besoin de sentiments profonds, d'amitié, d'amour, de joies intellectuelles et spirituelles ainsi que de beauté. Un « Parisbeurre » avalé entre deux rendez-vous est aussi toxique pour la santé qu'il lui est bénéfique lorsqu'il est savouré avec lenteur et plaisir sur un plaid écossais au milieu d'un champ de narcisses.

Nietzsche disait que la liberté, c'est avoir la volonté de répondre de soi. C'est donc à chacun de mettre au jour ses faiblesses pour mieux les combattre, de déclencher une prise de conscience afin de ne plus céder à ses peurs. Ce ne sont ni les médecins ni les psys qui pourront régler des problèmes de surendettement, rendre la fidélité à un époux volage ou même expliquer le sens de la vie. Ces connaissances ne peuvent venir que de nous. Trop de personnes ressentent un vide dans leur vie et en portent le fardeau, non seulement autour d'elles en se noyant dans un flot d'activités et de plaisirs aussi superficiels qu'éphémères, mais aussi sur elles et en elles, par une surcharge de graisses et de toxines. Or se sentir « bien », c'est n'avoir aucun de ces surpoids. C'est aussi réaliser que, dans la vie, il n'y a pas de hauts sans bas, mais pas non plus de bas sans hauts ! Notre corps-esprit est la seule chose dont nous soyons à la fois les maîtres et les gardiens. Nous seuls pouvons véritablement en prendre soin et le connaître. Nous seuls pouvons prendre conscience de notre identité gastronomique, de notre constitution, de nos goûts, de nos aspirations, de nos pensées.

La nourriture, c'est comme la musique : les uns aiment le foie gras et Mozart, les hamburgers et Bob Marley, les autres préfèrent le silence et le jeûne. Mais ils se nourrissent tous, à leur façon, de ce qui correspond, en principe ou dans l'idéal, à leur être intérieur.

Découvrez la personne que vous êtes. Imaginez-vous seule, dans une salle de cinéma. Les lumières s'éteignent. Vous êtes dans le noir. Vous attendez, impatiemment, avec un plaisir extrême, parce que vous savez que, d'un moment à l'autre, va apparaître sur l'écran géant l'image de votre moi parfait, un moi complet, d'une santé resplendissante, en trois dimensions, un moi qui bouge, parle, vibre, rit, mange, cuisine, vit selon les choix qu'il a faits. Cet exercice vous aidera à vous demander si la vie que vous menez vous convient, si vous êtes bien la même personne, sur cet écran et dans la réalité. C'est en créant ses propres rêves que l'on cesse de vivre ceux des autres, souvent désespérés de ne pouvoir changer.

Nous avons en nous la possibilité de redonner à notre corps sa forme originelle, la liberté de ne manger que ce qui est bon pour lui, de dire : « Peu de nourriture me suffit. Ce corps, cette vie, c'est moi. »

Plus que le plaisir de paraître, c'est celui de se sentir bien avec soi qui stimule le cerveau à agir en vue d'obtenir ce qu'il désire. Manger moins, mieux, en cuisinant, et avec plaisir, voilà peut-être la première recette d'une vie meilleure : une vie plus libre et plus légère.

Première partie

Comment moins manger

1

REDÉCOUVRIR FAIM ET SATIÉTÉ

QU'EST-CE QUE LA SATIÉTÉ ?

> « Il faut prendre le temps de s'écouter avant un repas ou une prise alimentaire, afin de détecter ses véritables envies et non agir en fonction de l'habitude. »
>
> Ariane GRUMBACH, diététicienne

Se nourrir avec volupté mais frugalité… n'est-ce pas là le désir secret de chacun ? Se nourrir sans frustration, sobrement, sans excès et sans complication, et savourer, bouchée par bouchée, les mets que nous choisissons, n'est pas impossible. Mais cela s'apprend. Ou se réapprend. Nous nous sommes trop éloignés de la modération et de la retenue depuis que nous avons la chance de vivre à une époque où la nourriture est à notre disposition partout et quand nous la réclamons.

Manger ne devrait être ni une tradition imposée ni un réflexe conditionné, mais un acte important destiné à nous garder en vie. Il importe donc de trouver ses propres repères alimentaires. Ce n'est pas en se restreignant ou en suivant un régime amaigrissant que l'on se sent mieux. Au contraire, c'est en ne mangeant que lorsqu'on a faim, et juste assez pour calmer cette faim qu'on peut trouver un équilibre.

Mais, pour cela, encore faut-il ramener son estomac à sa taille normale et lui réapprendre à ressentir la faim et la satiété. Laisser au corps le temps de réclamer !

La satiété est une sensation. Celle de ne plus ressentir le besoin de manger. C'est en quelque sorte un état de non-faim. Mais alors, pourquoi mangeons-nous souvent plus que ce que notre corps réclame ?

Chez certains, faim et satiété sont des sensations naturelles régulant leur appétit. Mais pour beaucoup d'autres, si la faim est innée, l'appétit, en revanche, est quelque chose de beaucoup plus complexe. Le corps, ayant perdu ses repères naturels, a besoin d'être rééduqué afin de mémoriser les sensations découlant de l'ingestion d'un aliment, telles qu'il les a déjà ressenties à la suite de repas précédents. Réapprendre à manger est bel et bien pour nombre d'entre nous une réalité qui nous rappelle qu'une prise alimentaire non motivée par la sensation de faim n'entraîne que peu la sensation de satiété, voire pas du tout. Et pas de plaisir non plus !

ÊTRE À L'ÉCOUTE DE SA FAIM

« Comment faites-vous pour rester si mince ? Quel régime suivez-vous ?

— Aucun. Je me contente de manger lorsque j'ai faim, et de m'arrêter lorsque je n'ai plus faim. »

Être à l'écoute des sensations de faim et de satiété, c'est d'abord apprendre à reconnaître quand on a faim et quand on est rassasié. Cela signifie également ne pas manger quand on ne ressent pas de faim, même s'il s'agit du petit déjeuner ou du déjeuner. En effet, manger sans faim, c'est manger trop et sans plaisir.

Oubliez les régimes. Après plusieurs mois de repas moins copieux, votre corps comprendra qu'il se sent mieux ; il acquerra une sorte d'instinct : le cerveau ne se dira plus : « Je dois manger ceci, les gâteaux font grossir... » Votre corps refusera de lui-même, et cela, parce qu'il n'aura tout simplement plus envie de recevoir d'aliments qui l'alourdissent. Lorsque vous commencez à vous dire que vous aimeriez bien manger, demandez-vous si votre estomac crie famine. Si oui, interrogez-le sur son besoin : du sucré ? du salé ? une grosse portion ? un petit en-cas ? un changement d'activité ? un peu d'air frais ? La réponse vous indiquera ce dont il a besoin à ce moment donné. Avant tout, faites confiance à votre organisme.

COMMENT RETROUVER LE SENTIMENT DE SATIÉTÉ ?

> « Être à l'écoute et respecter ses sensations de faim et de satiété est le seul moyen de maintenir durablement son poids d'équilibre sans frustration aucune. Le corps a une fantastique capacité de régulation, il suffit d'écouter ses signaux. »
>
> Ariane GRUMBACH

La satiété modérée est un état flou, contrairement à l'état de satiété complète dans lequel on se sent pleinement « repu ». C'est souvent parce que l'on mange sans avoir réellement faim que l'on mange... sans fin ! Lorsque l'estomac d'un animal est plein, il cesse de manger. Un bébé, lui, jusqu'à l'âge de trois ans, s'arrête de manger lorsqu'il est repu. Ce n'est qu'après cet âge qu'il continue à manger, comme l'adulte, même si son estomac est rassasié. L'homme est d'ailleurs le seul, de tous les êtres vivants, à ne pas savoir instinctivement à quel stade s'arrêter. Lorsqu'il a autant mangé que son estomac le lui permet, il se sent souvent encore vide, avec l'envie d'obtenir des satisfactions supplémentaires. Serait-ce dû à l'inquiétude, au fait de savoir qu'un approvisionnement constant en nourriture n'est pas certain ? Une petite voix en lui susurrerait-elle : « Mange autant que tu le peux pendant que tu le peux. Ce monde est si peu sûr, le plaisir si précaire ! Exploite le plaisir de manger au maximum » ? Les sujets obèses, expliquent les sociologues américains, accorderaient beaucoup d'importance aux caractéristiques externes des aliments (odeur, goût, saveur, plaisir attendu…) et repoussent les limites de leur satiété en consommant encore plus. L'envie remplace alors la faim. Les aliments qu'ils désirent sont en général le gras et le sucré. Mais le problème est que, lorsqu'il y a absence de faim, il y a absence de satiété, ce qui signifie qu'on n'a pas plus de raison de s'arrêter de manger que de continuer.

Pour retrouver des signaux psychosensoriels physiologiques, la seule solution est d'abord de redécouvrir un véritable plaisir à manger et d'apprendre à manger autrement, surtout lentement. En effet, une vingtaine de minutes passées à mastiquer, ingurgiter, sont nécessaires afin que le cerveau envoie au corps le signal que celui-ci est rassasié. Afin de manger le moins possible pendant ces vingt minutes, l'astuce est de prendre de petites bouchées et de mâcher avec insistance (d'où l'importance de la nourriture « solide »). Un médecin indien me recommandait de recommencer à mâcher une fois de plus, lentement, chaque bouchée de nourriture que je m'apprêtais à avaler. Cette technique à elle seule permet, m'expliquait-il, de perdre plusieurs kilos en un an… Il me mettait aussi en garde contre les graisses et les sucres qui, on le sait, n'engendrent qu'une satiété superficielle.

Manger varié pour manger moins

> « Que c'est merveilleux, si nous choisissons le bon régime, de constater quelle extraordinaire petite quantité nous suffit ! »
>
> GANDHI

Aucun médecin ne peut réfuter le fait que c'est une alimentation variée et complète qui rétablit l'équilibre psychologique et physique. Méfiez-vous des régimes conseillant : « Vous pouvez manger autant de ceci à condition de supprimer complètement cela. » Certains régimes sont contre les hydrates de carbone, d'autres contre la graisse, d'autres encore contre le sucre. Or une notion primordiale manque à tous ces régimes : manger « varié ». Manger varié pour ne pas se lasser et donc moins consommer. Et trouver un équilibre exact entre le plaisir de manger peu et celui de se sentir bien à la fois dans son corps et dans sa tête. En effet, se nourrir peu mais avec un maximum de plaisir ne signifie rien si l'on reste affamé entre les repas.

Le grignotage est-il naturel ?

> « Contrairement aux discours nutritionnels traditionnels, chacun n'est pas obligé de prendre un petit déjeuner s'il ne ressent aucune faim le matin. »
>
> Ariane GRUMBACH

Que de polémiques sur le sujet ! Il faut absolument manger un peu lorsque l'on ressent un peu de faim. N'attendez jamais que votre faim devienne trop importante, faute de quoi il vous deviendra presque impossible de maîtriser les quantités que vous consommerez dans ces moments-là. La meilleure réponse à la faim consiste à manger. Mais une faim modérée justifie qu'on mange… modérément. Un yaourt ou quelques biscuits suffisent alors généralement. Si la faim est grande, on peut consommer quelque chose de plus consistant, comme un sandwich au jambon maigre, un plat de pâtes aux légumes (sans lardons, fromage, beurre, crème fraîche…), une petite cuisse de poulet… Essayez de constater, la prochaine fois que vous mangerez suite à une vraie faim, que quelques bouchées suffisent à vous rassasier, à vous sentir bien. Et n'oubliez pas de prendre ces petites collations sans chercher à les occulter de votre conscience : prendre conscience de ses grignotages, c'est déjà changer sa façon de grignoter.

Cela peut être le début d'un apprentissage : celui d'habituer son corps à manger régulièrement. La chronobiologie a prouvé que le corps a besoin d'environ cinq heures pour permettre aux cellules de déstocker les graisses qu'elles ont stockées durant une heure après une prise alimentaire. Si nous offrons à notre organisme ces mini-jeûnes de cinq heures entre deux prises alimentaires (même une pomme ou un sucre dans du café brisera le jeûne), nous pouvons obtenir ou garder un corps svelte. Le plus délicat est de faire des repas ni trop légers – pour éviter de petites fringales pendant cinq heures – ni trop lourds. Mais savoir que l'on va manger dans quelques heures (de surcroît à des heures que l'on s'est fixées) a beaucoup d'avantages : non seulement on ne grossit pas, mais on libère son esprit de la pensée constante de la nourriture, on mange avec une véritable faim (et donc du plaisir) et l'on se simplifie la vie en décidant, une fois pour toutes, de ne manger qu'à certaines heures. Si vous avez des horaires irréguliers, essayez de vous préparer un repas à emporter (sandwich et salade dans un Tupperware® par exemple) et de le prendre dans une tranche d'heure « normale » (12 heures-14 heures, 18 heures-20 heures).

SI VOUS GRIGNOTEZ,
FAITES-LE DANS LES RÈGLES DE L'ART

Étant précisé qu'il est préférable de manger à des heures fixes plutôt que de façon irrégulière, grignoter ne doit pas être culpabilisant. L'antidote à cette culpabilité est tout simplement d'accepter ses « débordements », de les assumer et, tant qu'à faire, d'en retirer quelque chose ! Pour cela, grignotez dans les règles de l'art : veillez à toujours vous préparer une théière en ouvrant un paquet de biscuits. Même si vous avez l'intention de n'en manger qu'un ou deux (mais vous vous connaissez, n'est-ce pas ?), mettez-les sur un joli plat. Cette « mise en scène » vous permettra peut-être, à votre grande surprise, de ne pas finir le paquet entier et de ne pas rester sur le sentiment de vous être goinfré, mais au contraire d'avoir passé un agréable moment. Si une envie de fromage ou de saucisson vous prend, faites la même chose : commencez par tout disposer sur un plateau, coupez le pain, prévoyez votre boisson préférée, asseyez-vous, et laissez-vous aller. Prenez votre temps, jouissez… lentement, lentement, puisque c'est le seul moyen de vous apaiser. Mais gardez toujours à l'esprit cette petite phrase : « ON NE SE SENT PAS PLUS HEUREUX APRÈS AVOIR MANGÉ. » Et n'oubliez pas que tout début est difficile mais que celui qui l'envisage comme facile le rend déjà beaucoup moins ardu. Si les mauvaises habitudes sont une seconde nature, les bonnes peuvent le devenir aussi !

Des protéines pour se rassasier

> « Avec le poisson, on n'a jamais faim. »
> *Vieux proverbe d'Aomori*
> (province japonaise)

Beaucoup de vieux proverbes devançaient de loin la diététique moderne ! Certains aliments rassasient, d'autres donnent envie de manger davantage. On sait ainsi que ce sont les protéines (viande, poisson, œufs, légumes secs…) qui rassasient le plus et ce durant plus longtemps que d'autres aliments comme le sucré ou le gras. Il n'est pas étonnant dès lors de comprendre pourquoi tant d'autres peuples que le nôtre prennent des œufs, du jambon ou du poisson le matin !

Si vous voulez grignoter « malin », faites-vous plaisir avec l'un de ces mets qui, pris seuls, non seulement ne font pas grossir, mais aident à perdre du poids :

• un steak de bœuf cuit sans graisse ;

• un œuf dur, brouillé, à la coque… avec un tout petit peu de confiture sur un toast ;

• un plat de lentilles (en soupe, en salade, même avec une saucisse ; les lentilles et autres légumes secs sont recommandés par les médecins japonais à l'heure du goûter car ils calment vraiment la faim et sont excellents pour la santé) ;

• un morceau de fromage avec peu de matière grasse (fromage de chèvre, Babybel…) ;

• un morceau de viande froide, non grasse (une cuisse de poulet, un petit morceau de paleron bouilli…) avec une pointe de moutarde ;

• un pavé de poisson grillé ou cuit en papillote bien assaisonné ;

• une petite part de plat cuisiné (beaucoup plus sain que, par exemple, des barres protéinées).

2

Comment ramener l'estomac à sa taille naturelle ?

« Il faut maigrir pour manger moins. »

Dicton japonais

Quelle est la taille de l'estomac ?

Quelle drôle de question, doit se dire notre chat en nous voyant hésiter sur un problème aussi ridicule ! Il meurt sans doute de nous répondre : « Mais celle correspondant à ce que ton estomac peut contenir, bien sûr ! » Et nous de rétorquer : « Et comment savoir cela ? »

Que de confusion dans nos têtes, dans nos choix, dans nos façons de nous nourrir, que de complications à compter les calories, à se sentir coupable d'avoir trop ou pas assez mangé !

La taille naturelle de l'estomac correspond à peu près à celle de notre poing. Mais l'estomac est une poche extensible qui peut quintupler en volume. Il s'adapte à nos habitudes alimentaires et est alors incapable d'envoyer des signaux quand il est plein. Il faut donc avant tout le ramener à sa taille naturelle.

Cherchez, dans vos placards, un bol du même volume que votre poing. Vous saurez alors de façon précise ce que la taille de votre estomac représente. À titre de comparaison, celui d'une femme est à peu près de la taille d'un petit pamplemousse, celui d'un homme, d'un gros pamplemousse. Cela vous permettra de prendre conscience du volume d'un repas digestible.

RETROUVEZ LA TAILLE NATURELLE
DE VOTRE ESTOMAC AVEC UN KILO DE POIREAUX

> « Si ton corps ne te le demande, il ne faut pas accepter un grain de riz. »
>
> *Proverbe catalan*

Est-il possible d'appliquer une telle sagesse aujourd'hui ? Au Japon, tout est dans les mesures : la mesure de base, utilisée jusqu'il y a encore plusieurs décennies, est la « masu », une petite boîte en bois de cyprès carrée contenant exactement 180 centilitres. C'est avec cette boîte que la ménagère mesure le riz à cuire par nombre de bouches à nourrir ou que les hommes consomment le saké dans les bars. On commande encore de nos jours : « Une masu, s'il vous plaît. » C'est encore par nombre de « masu » que l'on achète ses légumes secs ou ses bigorneaux au marché. Tout est donc très précis. Ce peuple ne compte pas beaucoup d'obèses car il respecte les traditions et… les proportions.

Ainsi le duo « bol à riz – tasse à thé » de la femme (aux motifs assortis à ceux du duo de son mari) est légèrement plus petit que celui de son mari. Dans la même logique, dans certains restaurants, on sert aux femmes de plus maigres portions qu'aux hommes.

Pour ramener votre estomac à sa taille naturelle, il faut ainsi vous (ré)habituer à ne pas consommer plus que le volume de votre « bol » (ce n'est pas un hasard si la médecine utilise l'expression « bol alimentaire » pour désigner l'estomac). Vous devrez pour cela adopter une restriction « forcée » pendant deux ou trois jours. Pas plus, à moins d'avoir un estomac vraiment distendu. Pour vous remettre « sur le droit chemin », j'ai emprunté à Mireille Guiliano, auteur de *Ces Françaises qui ne grossissent pas*[1], cette méthode : profitez d'un week-end pour une bonne remise sur les rails avec le régime suivant :

— Faites cuire 1 kg de poireaux à feu doux 25 minutes après ébullition dans 1,5 litre d'eau légèrement salée.

— Mettez le blanc et le vert du poireau de côté et buvez un petit bol de ce bouillon toutes les 2 ou 3 heures. Aux repas de samedi midi, samedi soir et dimanche midi, consommez le poireau avec un peu d'huile d'olive et de jus de citron, et, facultativement, du sel, du poivre et du persil haché.

— Le dimanche soir, prenez 125 g de viande ou de poisson accompagnés de quelques légumes à la vapeur assaisonnés d'une noix de beurre ou d'huile.

Vous verrez, le lundi, votre appétit se fera déjà sentir plus léger.

(À noter que cette vieille recette de nos grands-mères est également excellente pour tout dérangement intestinal ou après un repas trop copieux.)

---

1. Michel Lafon, Paris, 2005.

LE BÉNÉFICE DU JEÛNE

> « Jeûner est comme faire une promenade en solitaire sous les étoiles. Nous devons, seuls, faire ce premier pas. »
>
> Donald ALTMAN, *Art of the Inner Meal*

À dix kilos du bonheur ? Avez-vous déjà pensé au jeûne ? Il est recommandé dans la plupart des religions. Vous pouvez commencer par un petit jeûne de vingt-quatre heures. Vous n'en apprécierez ensuite que davantage la nourriture.

Beaucoup de personnes font régulièrement des jeûnes ou des monodiètes allant de trois à dix jours. Toutes rapportent combien leur organisme se sent alors reposé ; elles constatent également que rester sans manger quelque temps – à condition bien sûr de ne le faire que sur une courte période – peut être aussi agréable que de manger tout le temps. Le jeûne peut procurer le sentiment de se débarrasser de toutes sortes d'encombrements et apporter une sensation de liberté et de soulagement extraordinaires, au moral comme au physique. Jeûner soulage le système digestif souillé, la rétention d'eau, les douleurs dues aux kilos de graisse que doivent supporter nos articulations. C'est aussi une solution radicale pour ramener son estomac à sa taille normale – après une période de jeûne, il réclame moins.

Le moment idéal pour faire un petit jeûne de vingt-quatre heures est de midi à midi – sauter un dîner, puis un petit déjeuner et ne plus rien prendre jusqu'au petit déjeuner du lendemain. Cela peut devenir une habitude et une occasion d'observer le phénomène de saturation dans lequel nous vivons. Les mini-jeûnes de fruits – on ne se nourrit que de fruits frais durant toute une journée – sont eux aussi très agréables.

Vous pouvez également jeûner lorsque vous prenez l'avion pour un vol longue distance. La nourriture y est souvent médiocre, et il n'y a aucune autre tentation à l'horizon ! À votre arrivée, votre organisme sera reposé, vous serez plus concentré et vous vous sentirez plus libre par rapport à vos envies de nourriture et à vos émotions. Cela vous donnera également tout le loisir de réfléchir à ce que vous aimez vraiment… et à vos débordements alimentaires.

3

PAS DE RÉGIMES, MAIS DES AUTOLIMITES

NI CONTRAINTES NI LAISSER-ALLER

> « Maître, montrez-moi la voie de la délivrance !
> — Qui t'a enchaîné ? interroge le maître, montre-le-moi !
> — Personne, répond le disciple.
> — Alors pourquoi demandes-tu la délivrance ? »
>
> Henri BRUNEL, *Contes zen*

La liberté n'est pas sans autolimites, et c'est paradoxalement dans ces autolimites qu'elle trouve un surcroît de liberté. Se fixer des autolimites (horaires, proportions) est la solution idéale pour les paresseux, les « sans-volonté », les instables. Au Japon, on hospitalise certaines personnes pour les éduquer à leur nouveau régime alimentaire. Le patient (un diabétique, par exemple) suit, chaque jour de son hospitalisation, des cours de cuisine durant lesquels il s'habitue à son nouveau régime, apprenant à mesurer ses portions, établir ses menus et surtout « mémoriser » avec son corps ce qui est nécessaire à sa santé. Ses médecins s'assurent qu'il a intégré concrètement son nouveau style de vie avant de le laisser quitter l'hôpital.

En Occident, les méthodes d'autodiscipline sont relativement peu développées. On pense qu'une personne, ayant saisi l'ampleur de ce qu'il lui était possible de faire sur un plan personnel, saura se discipliner d'elle-même pour atteindre ses objectifs minceur. Mais si l'homme est capable d'accepter un régime spartiate lorsqu'il veut entrer dans son club de foot favori, ce n'est pas comme une discipline académique apprise à l'école ou qu'il applique à tous les domaines de sa vie. Chez un Japonais, au contraire, l'autodiscipline est enseignée dès l'enfance comme une valeur intrinsèque à acquérir ; elle connaît une place à part entière dans sa vie, dont le but est de devenir compétent envers lui-même afin de le devenir dans tout ce qu'il entreprend.

Le self-control a un côté rétrograde en Occident, alors qu'il est considéré en Asie (dans les arts martiaux, par exemple), comme le plus important des trésors. Or l'épicurisme, on l'oublie trop souvent, se fonde sur les mêmes principes : manger peu permet d'accéder à d'autres plaisirs. Manger frugalement n'est pas l'équivalent de faire un régime. Toute personne perdant du poids se sent doublement heureuse : non seulement elle connaît une nouvelle légèreté, mais elle a le contrôle d'elle-même. Plus rien ne s'oppose entre ses désirs et ses actes. Son corps et son esprit sont enfin en osmose. Elle ne se sent plus dépendante de l'extérieur et a l'intime conviction qu'elle peut faire face à n'importe quelle situation puisqu'elle a le contrôle d'elle-même intérieurement. En d'autres termes, elle se sent LIBRE, INDÉPENDANTE, AUTONOME. Se modérer doit être ressenti comme une décision faisant partie intégrante de soi et non comme une contrainte venant de l'extérieur.

Tout d'abord, pesez-vous

Se peser est le premier pas à franchir. Votre meilleure alliée est la balance. Certains nutritionnistes conseillent de l'oublier et de se fier plutôt à un mètre à mesurer ou à son jean le plus seyant. Mais pour garder l'œil sur soi et ne pas tomber dans le laisser-aller le plus complet, le plus sûr est encore de se peser quotidiennement. On ne peut prendre un kilo de graisse en un jour, même si la balance indique ce kilo supplémentaire. Peut-être est-il dû à une rétention d'eau provoquée par un repas trop salé, peut-être à une mauvaise élimination intestinale… Mais si après plusieurs jours vous constatez que votre poids a augmenté sur la balance, vous vous remettrez à moins manger. À l'inverse, toute perte de poids, aussi minime soit-elle, est notre meilleur stimulant et la source d'un vrai plaisir. Un des pires ennemis du bien-être et de la joie de vivre est le sentiment d'échec après avoir fait des écarts. Le seul remède : avoir le courage de se peser, en dépit des débordements d'une journée, d'une semaine ou d'un mois, et de noter son poids jour après jour. Installez votre pèse-personne dans un endroit facile d'accès et trouvez un calendrier présentant l'année sur deux pages avec de l'espace pour noter. Ce feedback « noir sur blanc » vous motivera et vous offrira un suivi de vos progrès ou de vos écarts. Il suffit, bien souvent, de quelques jours d'efforts pour se remettre sur les rails. Ces quelques jours sont très importants, surtout pour le moral. C'est une « lutte » minute par minute, heure par heure, mais lorsque la balance annonce des centaines de grammes en moins, le courage se renforce.

ATTENTION À LA RIGIDITÉ
EN MATIÈRE DE RESTRICTIONS ALIMENTAIRES

> « L'interdit entraîne la frustration. Aucun
> aliment ne doit être diabolisé. Chacun doit
> se savourer avec plaisir et sans culpabilité. »
>
> Ariane GRUMBACH

Trop de contrôle aboutit à des excès. Or c'est à un rééquilibrage progressif qu'il faut procéder. Seule la souplesse, tel le bambou dans le vent, ne se brise jamais. La notion du « tout ou rien » est un comportement rigide, d'une fragilité dangereuse. Ayez la souplesse de la féminité, non celle d'un militaire. Cela ne vous empêchera pas d'avoir vos propres règles, vos « règles d'or ». Si vous adorez le chocolat, ne vous privez pas d'un petit carré tous les jours. Mais pas plus. Suivre des règles, c'est bien, définir les siennes, c'est mieux. Quand on veut avancer dans la vie, il faut être fidèle à ses choix et s'y tenir. Et, pour cela, le secret est de faire des choix qui apportent du… plaisir !

Pourquoi ne pas vous fixer des principes « temporaires », pour une semaine par exemple, et décider ensuite de les poursuivre ou non ? Vous pouvez alterner une semaine de petits déjeuners protéinés – des œufs, un yaourt, une tranche de jambon ou de viande maigre, accompagnés d'un thé ou un café sans sucre – avec votre petit déjeuner habituel et étudier vos sensations. Il est excellent, de toute façon, de rompre parfois avec la routine. Vous pouvez aussi vous offrir un « brunch » le week-end – œufs, pain grillé, confiture… – et vous contenter d'un petit déjeuner plus frugal – café et yaourt – en semaine. Rien ne coûte de faire vos propres essais jusqu'à ce que vous trouviez la formule qui vous réussit. Plus la période durant laquelle vous vous nourrirez bien sera longue, plus la sensation de bien-être qui s'ensuit deviendra un état naturel et s'ancrera en vous. Petit à petit, votre corps apprendra à retenir ces bienfaits et même, après de petits écarts, il reviendra naturellement à la nourriture qui lui apporte le plus de bien-être. En changeant seulement quelques habitudes, vous pourrez perdre plusieurs kilos sans même y penser. Ainsi remplacez vos œufs frits par des œufs à la coque, le porc par le veau, le lait par du lait écrémé, une demi-baguette par deux tranches de pain complet, un verre de bon vin au lieu de deux d'un cru banal, des sauces au citron et un filet d'huile au lieu de la vinaigrette traditionnelle qui en contient beaucoup, du poisson cuit à la vapeur plutôt que dans l'huile...

DÉRAPAGES ET SOUPLESSE

> « C'est en prenant conscience de sa richesse intérieure, en la développant, qu'on réduit le besoin de se remplir de nourriture, et non pas en rigidifiant sa volonté. Maigrir est une affaire de métamorphose qui ne peut aboutir que lorsqu'on procède d'une décision personnelle et non de celle d'un médecin ou de son entourage. »
>
> Dr APFELDORFER, *La Clé des kilos en moins*

À chaque instant, nous pouvons transformer notre mode de vie et commencer une nouvelle existence. La conviction que la force de changer est en nous est la base de cette transformation. Il suffit, la plupart du temps, d'un petit déclic pour se remettre instinctivement sur les rails et ressentir l'envie de retrouver la forme. On ne peut expliquer d'où vient ce déclic, mais il agit comme un tour de magie. Parfois aussi, c'est le désespoir (souvent dû à trop de poids ou de mal-être), la sensation d'avoir atteint le fond, qui fait qu'on se décide enfin à agir pour « remonter la pente », à l'image du nageur qui, touchant le fond de la piscine, donne un coup de pied vigoureux pour remonter à la surface.

Dès que vous réalisez que vous avez des kilos à perdre, votre santé à reprendre en main, vous êtes sur la bonne voie. L'essentiel est de ne plus vouloir remettre au lendemain votre décision et de commencer dès l'instant ce qui vous redonnera foi en vous. Et si vous trouvez un moyen de perdre du poids sans souffrir, vous aurez d'autant plus l'assurance de pouvoir atteindre vos buts.

DEUX JOURS DE DÉRAPAGE, DEUX JOURS DE RATTRAPAGE

> « C'est la voie de la discipline qui mène à la liberté. »
>
> Inayak KHAN,
> *Extrait de « The Unstuck Music »*

Manger plus légèrement après des excès est une façon naturelle de se nourrir : toute personne ayant une bonne régulation pondérale et qui mange davantage pendant un ou deux jours (s'alourdissant un peu) va naturellement moins manger le ou les jours suivants. Et s'alléger à nouveau. S'autoriser des excès est naturel, mais pour ces transgressions-là, il faut aussi avoir ses principes. Comme : « Deux jours de dérapage, deux jours de rattrapage. »

Si vous avez vraiment envie de faire des écarts de temps en temps, faites-les intelligemment. Si vous êtes las de votre potage sans graisses, pourquoi ne pas y ajouter un peu de beurre ou de parmesan au lieu de vous ruer sur le pot de confiture ? Si vous êtes tenté par un croissant (ou deux…), souvenez-vous qu'un seul croissant contient plus de matières grasses qu'un quart de baguette beurrée. Quitte à craquer, autant le faire pour un petit plaisir pas trop méchant. Ce sont ces compromis qui font, à long terme toute la différence. Changez lentement mais sûrement vos mauvaises habitudes ; aimez-vous. De vous seul dépend la liberté de choisir votre nourriture.

AVOIR SES PROPRES « RÈGLES D'OR »

> « Manger bien et juste. »
>
> Précepte de MOLIÈRE

Comment protégez-vous votre seul et véritable trésor, votre corps ? Ce corps, c'est votre unique demeure. Savez-vous ce que vous voulez vraiment ? Êtes-vous suffisamment clair avec votre rapport au plaisir pour vous dire fermement : « Non, ça, je n'en veux pas, j'ai le choix de ne pas tout manger et de ne me régaler que de ce qu'il y a de meilleur pour moi » ? Il est certes impératif de prendre du plaisir à manger ce que l'on aime, ce qui est bon pour soi, mais il faut pour cela avoir ses propres principes. Et les respecter quelle que soit la situation dans laquelle on se trouve, que l'on soit seul ou à deux, en famille ou entre amis, en semaine ou le week-end, chez soi ou en voyage. On dit que Jackie Kennedy, la femme la plus élégante du monde, avait un principe auquel elle ne dérogea jamais : un thé, un jus d'orange et une biscotte sans beurre pour son petit déjeuner. Et pourtant, les occasions de mille petits déjeuners sublimes et copieux n'ont probablement pas manqué de se présenter…

Avoir ses propres principes ne signifie pas vivre ou se nourrir avec rigidité. Toutes les façons de manger sont permises, et même bénéfiques. On peut très bien manger « italien » (spaghettis et chianti) un jour, « chinois » (bol de soupe-bouchées vapeur) l'autre, « campagnard » (pâté, cornichons, pain complet et un verre de vin), « raffiné » (un peu de foie gras et du champagne) aux repas suivants, etc. L'important est de se fixer des « règles d'or » et d'utiliser son imagination et sa créativité pour que, quoi que l'on mange ou que l'on boive, cela reste dans les limites que l'on s'est fixées. On peut toujours décider une fois pour toutes qu'une seule tranche de pain, une demi-banane, une cuillerée de confiture, une demi-tranche de foie gras nous suffisent.

QUELQUES SUGGESTIONS DE « RÈGLES D'OR »

Fixez-vous des règles, mais veillez à ce qu'elles restent en nombre restreint, sinon, vous risquez de ne pas les respecter. Leur choix doit être effectué avec d'autant plus de soin !

Voici quelques exemples :

Chez soi

• ne pas manger ou boire en préparant la cuisine ;

• ne JAMAIS manger directement ce qui sort du réfrigérateur ou du placard : toujours placer la nourriture sur une assiette, dans un bol…

• même s'il ne s'agit que d'un casse-croûte, manger assis, afin d'en profiter au maximum ;

• commencer tous ses repas par une soupe ou une salade ;

• à la fin du repas, avant de débarrasser la table, emballer immédiatement les restes dans un film cellophane pour ne pas être tenté d'en reprendre un peu ;

• toujours avoir un en-cas dans son sac – fruits secs, barre protéinée, pour ne pas céder aux casse-croûte de la rue.

Au restaurant
• commander ses sauces à part ;
• faire emballer les restes pour les emporter à la maison (pratique très courante hors de France !) ;
• ne pas manger de pain ;
• partager une entrée, un dessert…

Chaque jour de sa vie
• un verre d'eau au lever et un au coucher ;
• trois repas légers par jour ;
• excepté en légumes, ne jamais se resservir ;
• ne consommer qu'un seul carré de chocolat (le meilleur) à la fois ;
• à deux jours de « dérapage », deux de « rattrapage » ;
• manger avec les autres pour le plaisir, seul pour la santé ;
• des soupes en hiver, des salades de crudités en été ;
• ne pas prendre plus de cinq repas à l'extérieur par semaine ;
• ne manger que dans des restaurants de qualité, ou emporter son sandwich ;

LE SEUL VRAI RÉGIME QUI SOIT

> « J'attribue ma force d'endurance à des habitudes gardées depuis longtemps de respecter, chacun des jours de ma vie, les lois simples de la santé et les lois de la façon de manger. Cela n'est plus une affaire d'autorefus. C'est comme un instinct. J'ai fait de la façon de se nourrir avec régularité

une habitude si longue que cela n'est même plus un sujet de réflexion. Cela se fait naturellement. J'attribue toutes mes facultés d'endurance au travail à de bonnes habitudes alimentaires, à une attention constante aux lois du sommeil, à l'exercice physique et à la gaieté. »

Solon ROBINSON, *Facts for Farmers,* 1869

Relativement peu de choses suffisent à satisfaire nos besoins, contrairement au principe de notre société dans laquelle nous sommes sans cesse exhortés à consommer davantage. Le corps a besoin d'un peu de tout ; ce qu'il faut arriver à faire, c'est découvrir par soi-même ce qui nous est le plus nécessaire à tel moment donné. Tous ceux et celles qui ont suivi des régimes amincissants « sérieux » peuvent conclure qu'il n'y a, en fin de compte, que très peu de différences entre chacun d'entre eux :

• des produits de qualité « bio » (cela devrait aller sans dire) ;
• pas ou très peu de sucre ;
• deux ou trois cuillerées à soupe par jour d'une excellente huile (huile d'olive, de noix, de pépins de raisin…) ;
• des légumes et des fruits quotidiennement ;
• du poisson, des œufs ou de la viande non grasse deux ou trois fois par semaine ;
• peu de sel – le remplacer par de la moutarde, des herbes, des épices… ;
• préférer le poisson à la viande, le fromage de chèvre à celui de vache ;
• ne pas faire cuire trop longtemps les légumes – cela tue les vitamines ;
• manger des produits frais ;
• éviter les toxines (alcool, tabac…) ;

• éviter les graisses saturées, qui, une fois dans votre corps, ressemblent exactement à du lard fondu ;

• manger des aliments de saison ;

• boire suffisamment d'eau ;

• marcher, bouger – ce sont les muscles qui brûlent les calories ;

• dîner légèrement – on ne peut digérer et dormir à la fois ;

• prendre un petit déjeuner copieux pour moins manger à midi ;

• compenser les excès par un ou deux jours de diète ;

• bannir les interdits – un corps tyrannisé se venge ;

• éviter les grignotages – cinq heures entre chaque repas ;

• manger lentement et bien mastiquer ;

• toujours penser à sa santé en choisissant sa nourriture ;

• cuisiner ses propres repas ;

• dormir à heures régulières et si possible avant minuit ;

• prendre le temps de ne rien faire ;

• éviter le stress, la routine qui font manger non par faim mais par besoin de réconfort ;

• rire. Beaucoup rire.

Voilà donc le régime universel. Mais cela ne veut pas dire que tout le monde doive le suivre… Ce n'est qu'un modèle qui, en général, convient à la majorité. Il faut avant tout se connaître, ne pas se faire violence et savoir se détacher des conventions. Si vous ne pouvez rien avaler le matin, n'avalez rien. Si vous n'aimez pas le poisson, ne jamais en manger ne va pas vous tuer – des milliers de bouddhistes sont végétariens : vous pouvez compenser par du tofu, des haricots secs riches en protéines, eux aussi. L'important est que vous vous sentiez bien dans votre corps et votre tête.

Deuxième partie

Réduire ses portions

1

LE CONCEPT DES PORTIONS : ADIEU CALORIES ET PESÉES !

LES PORTIONS D'HIER ET CELLES D'AUJOURD'HUI

> « Deux tatamis, se faire cuire son riz blanc sur un petit réchaud avec un œuf… une petite vague de bonheur monta en elle à l'idée qu'on pouvait vivre en se contentant de si peu… »
>
> Fumiko HAYASHI, *Nuages flottants*

Il y a encore cinquante ans, tout était plus petit : couverts, assiettes, verres, sandwichs… Le sandwich anglais mesurait moins de la moitié de ceux que l'on trouve aujourd'hui à Londres, des sandwichs dégoulinant de mayonnaise et de légumes divers, impossibles à avaler sans en mettre partout. Autrefois, une banane constituait le goûter des enfants. De nos jours, un repas Big Mac, un sandwich, une part de flan, une portion-repas congelée, une barre chocolatée, une canette de boisson sucrée… sont des portions considérées normales. Tout ce qui se présente à l'« unité » est, pour la plupart d'entre nous, consommé en entier. Nous déléguons ainsi l'arbitrage de nos besoins à des industriels de l'alimentaire qui n'ont pas le moindre souci de ce que notre estomac peut contenir. Nous consommons, sans réfléchir, presque satisfaits, intérieurement, de n'avoir mangé qu'« une » seule part. Mais vous est-il arrivé de vous demander qui en avait décidé ainsi ? Qui avait décrété la taille d'un biscuit ou celle d'un croissant ? Tout ce que l'industrie alimentaire cherche à faire c'est… ses propres profits. Publicité, promotions, produits exposés avec les techniques stratégiques les plus subtiles sur les rayons de nos supermarchés sont destinés à nous faire consommer, encore et encore ; cela, nous le savons. Mais réalisons-nous que les portions ont subtilement mais régulièrement augmenté ces trente dernières années et qu'elles sont de deux à cinq fois plus importantes ? Le marketing dépense des millions d'euros à appliquer sa « magie » pour nous faire consommer toujours plus. Greg Critser, dans son ouvrage *Fat Land*, cite ces chiffres : un cornet de frites de chez McDonald's est passé de 200 calories en 1960 à 320 à la fin des années 1970 ; à 450 au milieu des années 1990 ; à 550 à la fin des années 1990 ; et il a atteint les 610 en 2005 ! Ses menus de 590 calories en font aujourd'hui 1 550, en augmentant la taille des portions pour donner l'impression aux clients qu'ils en ont vraiment pour leur argent, en dépit de la qualité nutritionnelle très pauvre de leurs produits.

« Plus pour moins cher » ?

L'appât publicitaire « Plus pour moins cher » incite les consommateurs à manger davantage, toujours davantage. Plus les boîtes de snacks et autres produits industriels alimentaires sont grosses, plus les fabricants les vendent cher, ce qui leur coûte très peu en plus, et leur apporte des profits. Leur art est de comprendre comment faire des profits en misant sur notre satisfaction, en nous proposant toujours plus en quantité ou en taille. Si l'industrie alimentaire se soucie aujourd'hui un peu plus de la qualité de ce que nous mangeons, elle compense le coût de cette qualité en s'assurant que nous mangerons davantage. Elle nous encourage à acheter des quantités de plus en plus importantes (tailles jumbo des paquets de chips, de céréales, de pâtes alimentaires, maxicroissants ou pains au chocolat, cornets à deux boules de crème glacée, frites en tailles S, M, L de McDo...). Les caddies des supermarchés sont de plus en plus volumineux, la taille de nos réfrigérateurs s'y conforme, comme celle de nos assiettes, de nos verres, de nos placards et... de nos postérieurs.

LA TAILLE D'UNE POMME, D'UN ŒUF, D'UNE POMME DE TERRE...

Les unités proposées par la nature sont parfaites : un œuf, une pomme de terre, une pomme... Pourquoi ne pas s'en accommoder et réduire le volume de notre alimentation ? Certes, il est beaucoup plus facile de manger une part entière de pizza que d'en garder la moitié pour plus tard. Que faire alors de cette deuxième moitié ? Au Japon, il est socialement accepté de faire emballer ses restes pour les remporter chez soi ou de partager une pizza à plusieurs, à condition que chacun commande sa propre boisson. Lorsqu'on se rend à une cérémonie du thé, qui comporte aussi un repas, on emporte toujours avec soi une pochette spéciale, contenant quelques feuilles de papier de riz, destinées à emballer ce que nous n'avons pas mangé. Lorsqu'une personne est invitée à déjeuner ou à dîner, son hôtesse ne manque jamais de lui remettre, au moment du départ, quelques restes du repas esthétiquement pliés dans un joli petit baluchon.

ADIEU, LE CALCUL DES CALORIES

> « Le régime de Gandhi
> 88 g de germes de blé
> 88 g de verdure pilée
> 88 g d'amandes douces réduites en pâte
> 6 citrons amers
> 57 g de miel »
>
> Dr SCHOTT, *Miscellanées culinaires*

Les calories permettent surtout aux spécialistes de communiquer entre eux. D'ailleurs a-t-on déjà vu une personne de poids normal et stable se référer à une charte des calories pour choisir son alimentation ? Même les meilleurs nutritionnistes admettent ne pas connaître exactement le nombre de calories dans les aliments. De plus, nous ne sommes pas des rats de laboratoire. Nous ne vivons pas dans des capsules spatiales. Comment compter en calories ce que nous mangeons lors d'un repas au restaurant ? On peut être en bonne santé sans compter ces calories qui ont fait leur apparition il y a à peine cinquante ans dans notre quotidien. Il suffit de visualiser et de savoir combien de « portions » nous suffisent par jour dans chaque groupe d'aliments et d'entraîner son œil à mesurer ce que nous ingurgitons. Plus une portion est grosse, plus elle contient de calories. C'est d'un raisonnement enfantin ! Si vous avez un peu d'embonpoint, vous n'avez pas besoin de changer radicalement de régime. Il vous suffit de consommer ces mêmes aliments en réduisant les quantités de moitié. Laisser un peu sur son assiette chaque jour peut faire maigrir de dix kilos en un an. De tels petits changements quotidiens sont très simples et peuvent, en s'additionnant, déplacer des montagnes (de graisses !).

LE REPAS TYPIQUE DES FRANÇAIS

> « Sortir de table avec l'estomac rempli aux huit dixièmes. »
>
> *Proverbe japonais*

Le matin, un ou deux croissants, une ou deux tartines de beurre (confiture) et un café au lait ; à midi, une entrée avec de l'huile et des charcuteries, un plat principal de viande (200 g en moyenne), des pommes de terre, du fromage, du pain, quelques verres de vin, un dessert... Le soir, des pâtes, à nouveau du vin, du fromage, du pain... Tout cela pour une seule journée et un seul homme est beaucoup trop. Une telle quantité de nourriture nourrirait trois personnes en Asie.

Quant au dîner, il est bien trop lourd pour passer une nuit paisible. Par ailleurs, plus on se remplit l'estomac, moins il travaille. Cet estomac est un serviteur fidèle mais enclin à la paresse. Celui qui fait quotidiennement trois repas du genre de ceux cités ci-dessus se rend lentement mais sûrement malade.

Nous devons nous débarrasser des mauvaises coutumes de notre culture et apprendre à manger moins et mieux.

Les Japonais, eux, appliquent très fréquemment ce vieux dicton pour refuser un dernier plat : « Sortir de table avec l'estomac rempli aux huit dixièmes. »

Mais, dans nos sociétés occidentales, les grandes portions sont comme une drogue. Or la faim augmente naturellement en présence de davantage de nourriture. Le repas traditionnel japonais est, à l'opposé, le « ichijiru san sai », soit une soupe de miso avec des algues, des fruits de mer... et trois petits plats : un de poisson grillé, un autre de quelques légumes (avec parfois du tofu) et un dernier, le bol de riz.

Cela dit, bonne nouvelle, en France et en Italie les petites portions deviennent à la mode !

SE CONTENTER DE DEMI-MESURES
ET COMPTER CE QUI FAIT SON BONHEUR

> « Le trop de quelque chose est un manque d'autre chose. »
>
> *Proverbe arabe*

Nous, Occidentaux, n'imaginons pas le dégoût que ressentent, lors de leur première visite en Occident, les Orientaux lorsqu'ils se voient servir un sandwich parisien, un plat de spaghettis italien ou une salade César. Pour eux, de telles assiettées nourriraient quatre personnes. Faire des repas miniatures, consommer des portions menues, telles qu'en servent les grands restaurants, est à la portée de tous. Et c'est parce que ces proportions sont minimes qu'on les déguste d'autant mieux, lentement, bouchée par bouchée. Un plaisir qui fait oublier tout le reste : tracas, stress, chagrins. Car c'est cette lenteur à déguster le minimum nécessaire qui nous « remplit », nous aidant à renouer avec une partie fondamentale de nous-mêmes – l'accord entre notre corps et notre esprit, nos besoins et nos désirs, le contrôle de soi et la sérénité qui en découle… Et puis, qui ignore que seule la première gorgée de bière – ou une première bouchée de mousse de saumon – est la meilleure ? Un restaurant réputé de Tokyo, tenu par une femme, ne sert qu'un menu, mais sa particularité est de le composer, pour chaque convive, de vingt mets différents représentant chacun la taille… d'une seule bouchée !

SACHEZ EXACTEMENT CE QUE VOUS ALLEZ METTRE DANS VOTRE ESTOMAC

> « Il faut être attentif à sa sensation de rassasiement et non manger en fonction de la taille de son assiette : celui qui l'a composée ne connaît pas nécessairement notre faim du jour.
> Oublions la rengaine de notre enfance "Finis ton assiette" ! »
>
> Ariane GRUMBACH

Une lichette de camembert, une petite tartine de pain légèrement beurrée, un demi-croissant, deux biscuits… ne représentent qu'une petite quantité de calories. L'essentiel est de toujours savoir à l'avance ce que vous allez mettre dans votre estomac et d'avoir en tête le nombre total de « portions » nécessaires par jour et par groupe d'aliments que vous consommez. Comprendre ce système des mesures permet d'arrêter à jamais les « régimes » et de retrouver un équilibre alimentaire, où que vous soyez, et quelle que soit la situation – chez vous, seul ou en compagnie, au restaurant, à un buffet… Vous n'aurez plus jamais à faire osciller, dans la balance de votre conscience, raison et envie. Plus jamais vous n'aurez peur qu'une tranche de pain ou de pita ne vous fasse grossir. Ce sont les peurs, les interdits qui nous poussent à enfreindre les règles. Ne plus avoir peur de grossir peut même aider à maigrir. Se sentir bien, avoir confiance en soi, savoir ce qui est bon pour soi : voilà ce qui permet à son corps de retrouver sa bonne taille et de se délivrer de ses kilos superflus.

LA TAILLE DES PORTIONS À VISUALISER

> « Tout ce qui rentre fait ventre. »
>
> *Proverbe*

La maîtrise des portions relève plus du bon sens que de la discipline. Le but est de diminuer progressivement ses portions au fil des semaines et des mois, à mesure que se diversifie le contenu de son assiette.

L'œil devrait apprendre à mesurer des « calibres ». Si vous cultivez votre sensibilité gustative tout en vous restreignant sur les quantités, vous n'aurez pas l'impression de vous priver. La simplicité exclut de tout mesurer, de compter les calories – un carré de chocolat et une pomme ont le même nombre de calories, mais absolument pas les mêmes propriétés nutritionnelles. L'art de la simplicité implique donc de savoir en quelles quantités se nourrir, et savoir jauger, d'un seul coup d'œil, ce que l'on va mettre dans son assiette, dans son bol, et consommer au cours de son repas.

Les deux façons les plus simples de visualiser ses portions sont soit de les mesurer par rapport à la taille de sa main, soit de les comparer à la taille d'objets connus. Ainsi, lorsque vous vous servirez – ou que vous mangerez ce que l'on vous a servi –, vous veillerez à ne pas prendre plus que :

- légumes verts : à peine le volume de votre poing fermé ;
- légumes secs : une balle de golf ;
- viande ou poisson : un jeu de cartes ;
- céréales, pâtes, riz, pommes de terre… : une savonnette ;
- frites : pas plus de dix ;
- crème fraîche, sauces : une noix ;
- huile d'olive, beurre : un dé à coudre ;

- fromages durs, charcuterie… : un domino ;
- fromages en crème : une balle de golf ;
- fruits secs : une balle de golf ;
- pâtisserie : 5 morceaux de sucre empilés.

À vous d'imaginer ce qu'il vous est le plus agréable de comparer et, surtout, le plus facile à retenir. Encore une fois, fixez-vous VOS repères. Prenez aussi en compte la densité des aliments. Un bagel est cinq fois plus calorique qu'une tranche de pain de la même taille, une tranche de pain ou un bol de riz complet plus sain que leurs homologues blancs. Il faut trois oranges pour faire un jus, et une canette de soda contient environ douze morceaux de sucre.

QUANTITÉS QUOTIDIENNES NÉCESSAIRES À L'ORGANISME

> « Si je mangeais comme tout le monde, je serais énorme. Je mange de tout mais en très petites quantités. À midi, une salade, un peu de pain et de fromage me suffisent. Beaucoup de gens me critiquent parce que je ne mange pas beaucoup, me reprochant de ne pas m'intéresser à la nourriture, mais je sais que je n'ai pas besoin de beaucoup manger et que, de plus, si je mange trop, je n'ai pas les idées claires pour travailler. Le tout est de connaître sa propre constitution et de se nourrir en fonction de ses besoins. »
>
> *Une amie tokyoïte*

Vous seul pouvez vous fixer *quotidiennement* ce dont vous avez besoin. Pour certains, cela est encore bien moins que ce qu'ils imaginent… Mais, pour la majorité :

• deux ou trois portions de légumes (crus et cuits y compris les soupes) ;

• un ou deux fruits, selon leur taille ;

• deux ou trois portions de céréales (pain, riz, pommes de terre…) ;

• deux ou trois portions de protéines (viande, poisson, œufs, tofu, légumes secs, fromage) ;

• deux noix de graisses (huile, beurre, mayonnaise… cette quantité peut paraître minime, mais il y a aussi de la graisse dans les desserts, les biscuits, les gâteaux d'apéritif, les fromages, le lait, la viande…) ;

• une sucrerie par jour (facultatif) ;

• deux verres de vin (facultatif).

Un petit « truc » pour visualiser tout ce que vous prendrez au cours de votre repas : imaginez que votre assiette est une horloge. De midi à 6 heures, vous placeriez les légumes, de 6 heures à 21 heures les protéines et de 21 heures à minuit les féculents.

COMMENT FAIRE DES PETITES PORTIONS UN MODE DE VIE ?

Lorsque vous cuisinez, pensez « dînette ». Préparez à l'avance de petites portions (nettement plus petites : la moitié ou le tiers de la « normale »). Congelez vos aliments en portions uniques (gratins, soupes, plats mijotés…). Cela sera non seulement plus rapide à décongeler, mais devant moins de quantité, vous aurez moins de tentations. Congelez les mini-portions « liquides » dans des cubes à glaçons (purée d'épinards, sauces, desserts…). Enfournez les plats cuisinés dans des ramequins individuels. En termes de proportions d'ingrédients, cuisinez la moitié de ce que les recettes culinaires indiquent.

Au restaurant, séparez vos aliments en deux parts inégales et consommez la plus maigre.

Lorsque vous mangez « vagabond » (dans la rue, dans un hall de gare, dans un aéroport...), ne consommez que la moitié ou le quart du sandwich que vous avez acheté. Partagez le plus possible avec les autres si vous ne mangez pas seul (une part de gâteau au restaurant par exemple, ou un plat principal et une salade partagée à deux). Ou bien retirez le pain du dessus d'un sandwich ou certaines parties de son contenu (le gras du jambon). Faites en sorte que tout ce que vous consommez soit moins riche.

Devenir adulte, c'est aboutir bien souvent à la constatation que « moins » est la meilleure consolation de « rien du tout ».

Une diète parfaite...
Matin
• un yaourt ou muesli + 200 g de lait écrémé ou pain complet sans beurre.

Midi
• légumes ;
• 90 g de protéines (viande sans graisse, poisson même gras, œufs ou tofu) OU glucides (spaghettis, lentilles, riz, quinoa, vermicelles de soja...) ;
• yaourt ou fromage.

Soir
• comme pour le déjeuner, mais en version « plus léger », ce qui signifie sans viande.

Pour cette diète :
• toujours prendre des légumes avec les protéines ou les glucides (pour que ces derniers ne se transforment pas en graisse).
• manger les fruits entre les repas ;
• enrichir ses salades, soupes, yaourts, etc., de germes de blé (ou d'autres graines que l'on peut faire chez soi), de levure de bière ;
• utiliser le plus souvent possible des herbes aromatiques dont les vertus sont trop sous-estimées ainsi que des noix et fruits secs.

14 portions de protéines par semaine :
• viande : 3 fois ;
• poisson : 4 fois ;
• œufs : 3 fois ;
• tofu : 4 fois.
Vous pouvez imprimer cette petite liste sur une carte et la faire plastifier pour la garder dans votre sac en permanence.... Elle peut vous être utile lorsque vous faites vos courses ou que vous ne dînez pas chez vous.

2

LES BOISSONS

LES BOISSONS, CES NOURRITURES SOUVENT IGNORÉES

Tout comme la nourriture, la boisson est, de nos jours, consommée avec trop peu de soin. Nous buvons à l'excès et davantage par habitude que par besoin. Nous ne réalisons pas assez que, excepté l'eau, toute boisson est une nourriture et que certaines sont aussi bénéfiques à notre santé que d'autres néfastes. Quelle que soit votre boisson préférée, arrêtez-vous un instant pour considérer (en toute honnêteté) ce que vous buvez chaque jour et les conséquences à long terme de ces habitudes.

L'EAU

> « Qui sait déguster ne boit plus jamais de vin, mais goûte des secrets. »
>
> Salvador DALÌ

Buvez-vous assez d'eau ? L'eau est la boisson la plus saine et la plus naturelle sur terre. C'est, après l'air, un élément vital. Aucun nectar, même le plus luxueux, n'égale sa valeur. C'est elle et elle seule que nous devrions boire quand nous avons soif.

Tout le reste (thé, soda, alcool…) devrait être réservé soit au plaisir, soit à la détente, soit à la concentration. L'eau est la base de la santé, encore plus que les aliments. Un masseur japonais expliquait que si les jambes sont lourdes, c'est qu'on ne boit pas assez d'eau, laquelle chasse les toxines qui s'accumulent dans la partie inférieure du corps. Il insistait sur le fait qu'il faut boire un trentième de son poids d'eau par jour. Le thé, le café contiennent de la caféine et, contrairement à ce que l'on pense, ces substances utilisent l'eau du corps, le desséchant. Lorsque vous buvez de l'alcool, du café, du thé, assurez-vous de boire aussi au moins la même quantité d'eau. Si l'eau gazeuse est votre péché mignon, essayez ce secret : coupez-la, à part égale, avec de l'eau plate.

QUITTE À CONSOMMER DE L'ALCOOL, CHOISISSEZ LE MEILLEUR

> « Seul à boire, sans un compagnon. Levant
> ma coupe, je salue la lune :
> Avec mon ombre, nous sommes trois.
> La lune pourtant ne sait pas boire.
> C'est en vain que l'ombre me suit.
> Honorons cependant ombre et lune :
> La vraie joie ne dure qu'un printemps !
> Je chante et la lune musarde,
> Je danse, et mon ombre s'ébat.
> Éveillés, nous jouissons l'un de l'autre ;
> Et ivres, chacun va son chemin… »
>
> Li BO, célèbre poète chinois,
> surnommé le « fou de vin » (701-762)

Boire avec esprit, c'est, dit-on, la médecine de l'âme. Un excellent vin apporte un raffinement et un luxe aux antipodes du grignotage irréfléchi et irrespectueux de la nourriture.

L'alcool nous offre un peu d'espace pour la détente, le plaisir de vivre. Mais pour cela, il faut le consommer avec parcimonie. Savoir savourer l'onctuosité d'un *egg-nog* (grog au lait mousseux) en hiver est un art. Tout comme siroter pendant des heures le fond d'un verre de vieux scotch écossais.

LE CHAMPAGNE

« Quand boire du champagne ?

— J'en bois lorsque je suis joyeuse, et lorsque je suis triste. Parfois j'en prends quand je suis seule. Quand j'ai de la compagnie, je le considère comme obligatoire. Je m'amuse avec quand je n'ai pas d'appétit, et j'en bois lorsque j'ai faim. Autrement, je n'en prends jamais – à moins que je n'aie soif. »

Lily BOLLINGER

Boire du champagne, disait dom Pérignon, c'est boire des étoiles. Le champagne est la boisson des rois, le vin de l'amour et de la fête. Le champagne, c'est un état d'esprit. Antidépresseur, riche en lithium, il régule l'humeur. C'est le meilleur des vins pour la santé. Il ne va pas jusqu'à guérir des dépressions nerveuses, mais il améliore l'humeur. Quand on le boit, on se sent soi-même pétillant et, pour cela, un verre suffit. Le champagne améliore la digestion (notamment celle des graisses) et chasse les ballonnements. C'est la boisson idéale pour alléger un repas lourd. Il est diurétique et aide à éliminer les excès ; riche en sels minéraux et en soufre, il possède des propriétés dépuratives, détoxifiantes et anti-inflammatoires. Il est bon contre les rhumatismes, les rhumes et les allergies. En faire une cure pendant un mois (pendant des vacances, par exemple) et ce, avec une flûte par repas, ne revient pas plus cher que de boire toutes sortes d'autres alcools sans restriction.

L'atmosphère qu'il engendre et qu'aucun autre vin n'égale est un esprit de célébration et de joie. Le plaisir des yeux qu'il procure empêche de le boire trop vite. Pas de « gueule de bois » le lendemain. Avec le champagne, on « fête » la vie. Marlene Dietrich disait qu'il transforme tous les jours en dimanches. Qui saurait mieux dire !

CONSOMMER PEU D'ALCOOL :
UN ADORABLE CARAFON

> « La recette d'une vie heureuse ? Des bains chauds, un vieux brandy, du champagne et des petits pois frais. »
>
> Winston CHURCHILL

L'alcool déshydrate les principaux organes et rend la peau moins élastique (rides, vieillissement…). Le visage se dessè-che, les pores de la peau se dilatent.

De plus, il est très riche en calories et incite à grignoter d'autres aliments non seulement superflus mais néfastes à la santé (biscuits sucrés ou salés, cacahuètes…)

Pour boire peu d'alcool lorsque vous êtes en société, contentez-vous de tremper vos lèvres dans votre verre. S'il reste plein, personne ne s'empressera de le remplir à nouveau. Et lorsque vous êtes chez vous, vous pouvez suivre l'exemple de ces vieux Japonais qui possèdent leur petit carafon personnel qu'ils emplissent une fois seulement, avant ou après le dîner. Celui-ci clôt leur journée et les délasse. Il représente pour eux un moment de pur plaisir. Une bouteille de vin n'est ni esthétique ni pratique, et elle n'incite pas à la sobriété. En revanche, un carafon est aussi plaisant à regarder qu'à prendre en main. Au pire, transvasez la moitié du litre de vin que vous venez d'ouvrir dans une de ces petites bouteille d'un demi-litre que l'on trouve dans les commerces et gardez le reste pour le lendemain. Ainsi, vous n'aurez bu que 35 cl dans votre soirée.

BOIRE DU THÉ POUR CONCENTRER SON ESPRIT

> « Je vois toute la nature représentée dans cette couleur verte. En fermant les yeux, je trouve des montagnes verdoyantes et de l'eau pure à l'intérieur de mon cœur. Dans ce silence, assis seul, buvant ce thé, je sens que cela devient une partie de moi. En partageant ce thé avec d'autres, eux aussi ne font plus qu'un avec lui et la nature. »

> SOSHITSU XV,
> grand maître du thé de l'école Urasenke

Une bonne tasse de thé, après ou entre les repas, non seulement représente une pause dans le rythme des activités, mais stimule le système immunitaire, favorise la digestion et met de bonne humeur. La saveur du thé vert, un de mes préférés, est si intensément pure, limpide et vivifiante qu'elle éveille en moi toutes sortes d'émotions : paix, sérénité, jeunesse, joie de vivre. Le moine zen Eisei disait que le thé vert est le médicament le plus puissant pour préserver la santé et le secret d'une longue vie. Le thé nettoie le sang, prévient le cancer (inexistant jusqu'à récemment dans les régions cultivant le thé au Japon), diminue le taux de cholestérol, fait baisser la tension artérielle, combat le diabète, retarde la maladie d'Alzheimer et serait efficace contre les allergies.

Et puis il a toujours été, de tout temps, la boisson des bonzes et des poètes.

Bien que de plus en plus populaire, le thé est une boisson encore mal connue en Occident. Il est bien plus que ces feuilles concassées et fermentées à 100 % que sont le thé rouge – le thé anglais. En Orient, le thé est le plus souvent consommé non fermenté, vert, comme c'est le cas au Japon, ou fermenté à 30, 40 % – un tiers de la feuille de thé est verte et le reste, sur le pourtour, est brune), ce que l'on appelle le thé oolong (Chine). Ces thés sont excellents pour la santé car leurs feuilles contiennent beaucoup de propriétés qui disparaissent lors d'une fermentation complète (vitamine C, zinc, magnésium…). De plus, leur goût est si varié selon les saisons, les qualités, les variétés, qu'on les déguste non seulement pour la santé mais comme des vins rares. À la santé se combinent le plaisir et tout un art de vivre.

Le choix d'un thé dépend bien entendu de l'aliment qu'il accompagne ou qu'il ne doit pas, justement, accompagner – comme un oolong très fin que toute trace de goût d'aliment en bouche gâcherait ! –, les amateurs se rincent soigneusement la bouche avant d'en boire une gorgée.

Un thé oolong est cependant parfait avec de la nourriture grasse. Un thé vert avec des sucreries – son amertume équilibre le sucré.

Un bon thé indien bouillant, enrichi de lait et d'épices, réchauffe et réconforte. Un lapsang souchong prépare aux rudesses du froid.

Un thé au jasmin est le meilleur compagnon des heures réservées à la lecture.

Les seuls thés qui n'en sont pas sont tous ces thés parfumés à la pomme, à la rose, à la cannelle, etc. Un vrai thé est un thé qui possède son propre parfum. Un parfum, un goût et des effets parfois même aussi enivrants que certains produits illicites ! D'où, comme pour tout, la retenue d'en consommer à outrance…

3

Réduire la taille des contenants

> « Des amis, un flacon de vin, du loisir,
> un coin parmi les fleurs… je n'échangerais
> pas cette joie pour un monde, présent ou à
> venir. »
>
> Hafiz

Éloge de la variété
et de la fantaisie pour prendre ses repas

Manger peu et avec volupté suppose surtout de ne jamais se lasser. Car c'est le manque de nouvelles sensations qui pousse à consommer plus pour obtenir du plaisir. Rompre avec la monotonie de la routine en mangeant varié et en utilisant au quotidien des contenants plus petits, délicats et esthétiques contribue à faire de chaque repas un moment de réjouissance et à moins manger. Pourquoi toujours utiliser de la vaisselle traditionnelle ? Pourquoi ne pas prendre certains repas sous forme d'« assiette composée », de « bol unique », ou de plateaux remplis de plusieurs petits, tout petits mets différents ?

C'est la fantaisie, l'imagination et la créativité qui font le charme de l'existence. Les personnes qui vivent le mieux et le plus longtemps sont bien souvent celles qui aiment vivre, tout simplement.

L'assiette unique

La mode est, de nos jours, dans les restaurants, de prendre son déjeuner dans une assiette unique. Dans le principe, c'est une merveilleuse idée de « simplicité », offrant l'avantage d'un service rapide et d'une alimentation variée. Alors pourquoi ne pas faire la même chose, de temps en temps, et surtout chez soi ? Car, dans les restaurants, ces salades « jumbo » (taille XXL !) ou ces charcuteries variées cachent souvent (à notre bonne conscience) des tonnes de graisses. Il vaut mieux se contenter d'un plat « à la carte », généralement moins riche et plus cuisiné, et se passer d'entrée et de dessert. On peut aussi se satisfaire d'une salade, d'une omelette ou même d'un dessert. L'essentiel est de ne pas se gaver, sous prétexte qu'il s'agit d'une assiette unique. Mais chez soi, c'est une excellente solution pour manger moins, contrôler l'équilibre du menu et avoir moins de vaisselle à faire !

Le repas dans un bol

> « Ce riz immaculé, cuit à point, amoncelé dans une boîte noire qui, dès l'instant que l'on soulève le couvercle, émet une chaude vapeur, et dont chaque grain brille comme une perle, il n'est pas un seul Japonais qui, à un moment de sa vie, n'en ressente l'irremplaçable générosité. »
>
> Junichiro TANIZAKI, *L'Éloge de l'ombre*

Les Coréens et les Chinois sont les champions de ce type de repas. Ils cuisinent, depuis toujours, d'excellentes soupes-repas dans lesquelles le solide et le liquide se marient, apportant une bonne hydratation au corps et assurant un apport en nutrition complet malgré la légèreté des mets – certaines soupes contiennent plus de vingt ingrédients. Les recettes de repas complets à prendre dans un bol sont infinies.

Pour cela, un beau et grand bol de 600 ml suffit. Et, si vous le pouvez, offrez-vous le summum de la légèreté, de la commodité (pas de vaisselle à faire !), de l'écologie, du raffinement et de la sensualité : un bol en laque. Cette matière naturelle est un merveilleux transmetteur de chaleur. Les aliments y gardent comme par magie une température idéale ; elle ne brûle pas les lèvres et sa chaleur est très douce dans le creux des paumes ; d'excellente qualité, elle est incassable et très endurante malgré l'image de fragilité et de préciosité qui lui colle à la peau (la voiture de l'empereur du Japon est laquée !). Reposée sur une table, elle ne fait pas de bruit (ah, l'éloge du silence !). Soupes-aliments, salades composées, riz recouvert de poisson ou de légumes... tout peut être pris dans un bol. C'est d'ailleurs ainsi que nombre de moines zen se nourrissent, ainsi que des millions de Chinois (tous les mets, en Asie, sont servis prédécoupés ou suffisamment tendres pour être pris sans l'usage de ces deux instruments barbares et agressifs que sont le couteau et la fourchette). Rien de plus divin qu'un grand bol en laque noire, sans ornement aucun, pour rehausser les couleurs des aliments. Investir dans un tel objet n'est pas du luxe : cela décuple le plaisir de manger et permet donc de se modérer. Quelle différence entre une soupe mangée avec une cuillère en métal dans une assiette creuse et celle, même la plus grossière, dégustée dans un bol en laque ! Son goût devient presque celui du zen... Et quel plaisir de transporter son bol là où bon nous semble, que ce soit sur le canapé, sur la véranda ou tout simplement sur le tapis !

Le repas sur un plateau

Au Japon, que ce soit au restaurant ou chez soi, presque tous les repas sont servis sur des plateaux individuels, en laque ou en bois selon les saisons, les mets et les occasions. Le plateau idéal mesure environ 35 × 25 cm (35 cm correspondant à peu près à la largeur entre les deux extrémités de notre bassin). Voilà une excellente idée pour apporter à vos repas esthétique, sens pratique, fantaisie et aspect ludique, mais aussi des limites.

Et de belles limites ! Contrairement au concept abstrait et vague d'un menu, vous avez sous les yeux ce que vous vous apprêtez à manger, et rien de plus. Et si peu de « grosse vaisselle » à nettoyer ensuite ! L'autre avantage de servir les repas sur un plateau est de pouvoir manger ce que nous désirons dans l'ordre, l'endroit et au rythme que nous voulons. Mettre chaque parcelle de nourriture dans différents petits plats invite également à se concentrer sur chaque bouchée et à donner à son organisme une grande variété de nutriments. Un repas complet peut être composé d'au moins une demi-douzaine de mini ramequins, bols, coupelles, raviers – vous pouvez vous en constituer une collection au gré de vos balades dans les brocantes –, sans être lourd à digérer. La variété et l'esthétique de ces petits vaisseaux invite à manger peu et avec beaucoup de plaisir. Couleurs, formes, matériaux… toutes les fantaisies sont permises et même conseillées – l'esthétique japonaise en interdit toute répétition. La coutume au Japon est de servir sept mets : une soupe, un bol de riz, quelques bouchées d'aliments vinaigrés, de légumes mijotés – et parfois de viande –, un peu de poisson, une bouchée d'un légume à la sauce de sésame et une autre de légumes en saumure – l'équivalent du fromage en France.

ÉLOGE DES PETITES TAILLES :
VAISSELLE, TABLES, BATTERIE DE CUISINE…

À chacun sa vaisselle

> « Ils se retrouvèrent ensuite face à face
> autour d'un thé qu'ils s'étaient partagé dans
> deux tasses appariées. La chaleur se diffusait
> dans leurs doigts, réveillant la nostalgie du
> corps qu'on caresse. »
>
> Setouchi JAKUCHO, *La Fin de l'été*

Chaque Japonais possède son set personnel de vaisselle.
Nul autre membre de la famille n'imaginerait s'en servir, un
peu comme la brosse à dents chez nous. Ce set est composé
d'un bol à riz, d'un bol à soupe, d'une tasse à thé et de
baguettes, le tout scrupuleusement choisi en fonction du
genre, de la taille, de l'âge, des goûts, des couleurs, matériaux, formes, motifs, textures préférés de chacun. Mais la
taille de ces objets est aussi choisie en fonction des quantités
de nourriture qu'ils sont censés contenir, culturellement et
diététiquement. Chacun a ainsi ses limites fixées par son
type de vaisselle. Le bol d'un homme âgé est plus petit que
celui d'un garçon de vingt ans. Celui d'une octogénaire a
des teintes et une épaisseur plus délicates que celui d'une
jeune femme. On utilise également des tailles, des formes et
des profondeurs de céramiques spécifiques selon chaque aliment : une assiette longue et étroite pour un poisson grillé,
un ravier un peu creux pour le plat mijoté à la sauce de soja,
un autre encore, minuscule, pour les deux ou trois bouchées
de légumes en saumure censées finir le riz, etc. C'est pour

cela, outre la pauvreté en graisses de leur nourriture, que les Japonais ont rarement des problèmes de surpoids.

Akiko H., une amie très raffinée, me dit avoir hérité de sa mère quatre boîtes contenant chacune une collection de petites vaisselles accompagnées des recettes leur étant destinées, et ce pour chaque saison de l'année. Celle d'hiver contient par exemple des grès et des laques aux tons chauds pour les soupes épaisses et les légumes tubercules de saison, celle d'été des porcelaines, des pâtes de verre apportant une sensation de fraîcheur par leur transparence et des motifs de vagues, de saules dans la brise pour les salades, les gelées, les légumes frais… Quelle merveilleuse façon, à travers tout ce raffinement du quotidien et de ses plus infimes détails, de célébrer la vie, d'honorer la nature, de scander le rythme des saisons !

Se nourrir dans de la petite vaisselle…

Avec un peu d'imagination, nous pourrions, nous aussi, adopter ce type de repas tout en consommant des produits de chez nous. Nos vaisselles anciennes sont généralement plus petites que celles d'aujourd'hui. Pourquoi ne pas utiliser des assiettes à dessert à la place de nos grandes assiettes modernes ? Ou des petits bols, ramequins, soucoupes, raviers, verres à liqueur ou verrines autrement que pour des entrées ? La taille de leur contenant est tellement plus adaptée à celle de notre estomac ! Des récipients légers en main, délicats, laissent au corps la liberté de les porter près de la bouche au lieu d'avoir à se pencher pour ne pas laisser échapper de nourriture. La vaisselle utilisée de nos jours est aux antipodes de l'ergonomie. Et plus les années passent, plus sa taille s'amplifie. Est-ce par snobisme, par mode qu'on sert une minuscule côte d'agneau et trois petits pois dans une assiette qui prend la moitié de la table ? Les verres sont si gros qu'ils peuvent contenir un quart de litre de vin – seuls les grands vins nécessitent ce genre de taille pour laisser leurs effluves s'oxygéner. De plus, ce type de vaisselle est froid, sans intimité ni charme, lourd en main, encombrant ; il refroidit rapidement la nourriture et il est pénible à manipuler (laver, ranger, soulever…).

Enfin, tous ces petits mets placés côte à côte renvoient une impression d'abondance, de couleurs, de vie, et ce véritable plaisir des yeux aide à la concentration sur chaque parcelle de nourriture.

De la vaisselle patinée et apparemment disparate

Une vieille théière en terre, rugueuse à l'intérieur, lisse et vernie par les essences du thé à l'extérieur, une tasse à thé culottée – les vrais amateurs de thé n'en récurent jamais le tanin, car il donne encore meilleur goût au thé –, de tels objets du quotidien nous sont chers. Quel bonheur de les regarder, de les toucher et de les utiliser tout en sachant qu'ils se patinent et s'embellissent chaque jour un peu plus ! Les Extrême-Orientaux conservent précieusement cette patine telle quelle, pour en faire un ingrédient du beau. Ils attendent avec patience qu'un objet en argent ternisse jusqu'à devenir noir. C'est, selon eux, ce type de beauté qui invite à la méditation sur la brièveté de l'existence.

Tout est question de culture et de goût. Mais accepter de regarder les choses avec les yeux d'une autre culture permet d'enrichir notre propre quotidien.

Il a toujours été de mise, dans nos pays occidentaux, de servir la nourriture dans des « services » à vaisselle. Qui oserait recevoir ses amis avec des assiettes disparates, ébréchées ou fêlées par le temps ? Pour les Japonais, c'est pourtant là signe de richesse et de raffinement. Des objets qui portent la trace du temps, qui ont longtemps servi, aux couleurs passées, sont l'émanation de vérités fondamentales : lorsqu'ils sont entre nos mains, ils nous content l'histoire de leur vie, les scènes auxquelles ils ont assisté, les multitudes de mets qu'ils ont connus. Ils ne possèdent ni la symétrie ni l'homogénéité des choses qui nous entourent habituellement ; ils heurtent l'esthétique du commun, ils ne sont pas qualifiés de « design ». Mais, à leur contact, nous ressentons comme un détachement vis-à-vis du monde high tech, conformiste et impersonnel. La fêlure d'une tasse, d'une porcelaine les distingue de toutes les autres, une vieille cuillère en bois aide à percevoir les choses sous un angle nouveau, différent, nous rappelant qu'il n'est pas besoin d'avoir réponse à tout, que la beauté se trouve souvent dans le détail et se manifeste aussi dans l'imperfection. À leur contact, la nourriture et nos repas prennent un tout autre sens. Les verrines à la mode aujourd'hui commencent enfin à nous faire comprendre le plaisir d'utiliser la vaisselle autrement. Amusez-vous à utiliser les vaisselles les plus improbables, à marier les styles, les couleurs, les formes, les matières pour présenter un repas. Pour manger beau, bon et sain et en faire un style de vie, il faut enrayer la monotonie et la morosité.

Manger avec des couverts, des baguettes ou ses doigts ?

Les Orientaux disent que manger avec des baguettes permet de choisir et de sélectionner sa nourriture avec plus de précision et de choix qu'avec une fourchette, et que le goût des aliments est moins modifié au contact du bois que du métal. De plus, elles ne prennent pas de place et sont silencieuses. Mais, à défaut de baguettes, vous pouvez utiliser de plus petits couverts, comme des fourchettes à dessert. Cela vous permettra de mieux déguster, picorer, savourer. Comme pour un dessert ! Et puis, boire une soupe directement au bol est un plaisir à rétablir dans les règles du savoir-vivre. On ressent d'abord le plaisir de la chaleur dans les mains. Les lèvres, elles, apprécient le contact de la céramique. Les papilles gustatives, enfin, peuvent recevoir à l'endroit le plus réceptif de la langue toutes les saveurs – le dos de la cuillère masque cette partie de la langue, faisant passer la nourriture au fond de la gorge qui, elle, n'a pas de papilles.

Manger avec les doigts retient la même logique. Quoi de plus savoureux qu'une frite mangée ainsi ? On mange bien le pain avec ses doigts !

Le charme d'une petite table

Évoquer l'utilisation de petite vaisselle amène à reconsidérer le mobilier. Pourquoi encombrons-nous nos logis d'énormes tables à manger ? Beaucoup de restaurants et brasseries servent les repas pour deux, voire trois, personnes sur de toutes petites tables. Et n'est-ce pas leur taille qui donne l'impression d'avoir sous les yeux beaucoup de nourriture ? Elles confèrent un air de fête, de détente. On les quitte susté, avec plus de légèreté qu'après un repas cérémonieux sur une grande table richement dressée.

De plus, un repas partagé autour d'une petite table rapproche les convives et les incite à partager des confidences, des pensées intimes ou personnelles, même quand on est nombreux. Une de mes tantes parisiennes n'a qu'une petite table chez elle. Elle n'hésite pas cependant à y « serrer » six, huit personnes pour des repas extrêmement raffinés et variés. Le sentiment de convivialité qui en ressort est très chaleureux. Tout est une question d'organisation et d'utilisation de l'espace dont on dispose.

Si vos assiettes n'ont pas la taille d'un vinyle 33 tours, manger sur une petite table offre bien des avantages et des charmes comme celui de choisir l'emplacement des repas pour profiter du spectacle d'une pluie diluvienne, dîner dans le salon en face de la télévision s'il y a un bon film, ou encore dehors si vous avez la chance d'avoir un balcon, un jardin et du soleil. Il existe tant d'ambiances différentes propices à contrecarrer la monotonie et à faire de chaque repas une fête sans se goinfrer !

TROISIÈME PARTIE

LA CUISINE, SOIN DU CORPS ET DE L'ÂME

1

L'IMPORTANCE DE CUISINER

SE SENTIR VIVRE

> « La félicité n'existe pas là où l'art de cuisiner est ignoré. »
>
> Jean-Jacques DE CAMBACÉRÈS

Selon les Chinois, seuls le sauvage et le barbare ne cuisinent pas. Tout Chinois éprouve le besoin de cuisiner pour se sentir vivre et apprivoiser le naturel qui sommeille au cœur de l'Homme. Même dans un minuscule endroit, consacrer du temps à la préparation du repas représente pour lui la volonté d'affirmer sa condition humaine. Et il n'apprécie vraiment que ce qu'il cuisine lui-même.

Vivre, se nourrir simplement ne veut pas dire se contenter d'un sandwich ou d'une barquette de taboulé, achetés à la hâte sur le chemin de retour du travail. Ce n'est pas seulement se mettre quelque chose dans la bouche. C'est beaucoup plus. Geste ancestral gravé dans nos gènes, l'acte de cuisiner est peut-être le plus ancien qui nous différencie des animaux.

Tous ces produits finis, anonymes, manufacturés, emballés, qu'on peut faire cuire au four à micro-ondes en deux minutes et consommer immédiatement ne nous rassasient pas, dans le sens profond du terme. Les cantines de restaurant ou les menus « à la carte » des bars non plus.

Préparer soi-même ce qui va nous nourrir est essentiel à notre équilibre non seulement physique mais mental. Outre le fait de retrouver sa propre autonomie, de faire des courses, de cuisiner, c'est prendre le temps de vivre, prendre soin de soi et des siens, renouveler son énergie et retrouver ses repères en cueillant le bonheur qu'on a à portée de main, c'est-à-dire chez soi. Chacun peut en effet faire d'une corvée cette merveilleuse expérience de l'« ici et maintenant », comme, par exemple, écosser des petits pois assis en tailleur sur le tapis. L'odeur de leur cosse, la couleur si tendre de leur vert, le plaisir d'éjecter chaque rangée d'un coup d'ongle vers le saladier et d'entendre chaque pois résonner contre l'Inox du saladier, tels de petits gongs, voilà pour moi une image du bonheur.

CUISINER, UN ACTE NATUREL

> « Donner quelque chose de vous-même est un don d'une valeur inestimable. Vous devriez le faire même lorsque personne ne vous regarde. »
>
> DOGEN, fondateur du zen Soto

Nous devrions toujours exécuter avec plaisir ce que nous entreprenons si nous voulons en tirer profit.

Cuisiner avec son cœur et son esprit, être complètement absorbé par cette activité peut devenir une sorte de liturgie tranquille où tout est essentiel, chaque instant parfait. L'eau qui bout sur le feu, les arômes qui s'échappent du faitout, les légumes étalés devant les yeux… ce quotidien paisible est une conjugaison de plaisirs. Et ce sont ces gestes incontournables et millénaires qui nous rappellent que c'est peut-être cela, vivre. Ni plus ni moins. De nos jours, nous compartimentons trop nos vies, considérant par exemple que l'art n'est que peinture, sculpture, poésie ou musique. Mais l'art peut être dans chacun de nos gestes et s'appliquer à tout, y compris à la confection du pain, car c'est cet acte même qui nous nourrit et nous permet d'apprécier le reste. Quoi de plus merveilleux que de s'ancrer ainsi dans la réalité, d'endiguer la superficialité d'un monde de plus en plus vide de repères et déshumanisé ? Sous nos doigts, avec le feu, la nature devient tout autre. Nous nous ouvrons alors à de nouvelles sensations et pensées. Voici ce que cuisiner peut inciter à accomplir : s'élever au-dessus des pensées ordinaires, rendre le quotidien éternel et divin. La cuisine est vraiment un art qui invite au dépassement de soi-même ! Si de moins en moins de personnes cuisinent de nos jours, sous prétexte qu'elles manquent de temps, elles ne réalisent pas que c'est le véritable sens de la vie qui leur file ainsi entre les doigts. Avec un minimum d'organisation, cuisiner n'est ni une corvée ni une contrainte.

PAS DE SANTÉ SANS CUISINE

> « Fais du bien à ton corps pour que ton âme ait envie d'y rester. »
>
> *Proverbe indien*

Cuisiner, c'est prendre soin de sa santé tout en préparant ce que l'on aime et ce dont notre organisme a besoin. Il n'existe pas de cuisine plus saine que celle que l'on prépare soi-même. La cuisine industrielle contient très peu de légumes et trop d'ingrédients destinés uniquement à flatter nos papilles (sauces, matières grasses, sucres, parfums artificiels…). De surcroît, elle contient toujours plus de graisses, de sucres, de sel que ce que nous utilisons, nous, en cuisinant. Une omelette servie dans un café est plus huileuse que celle que l'on prépare chez soi. Elle est aussi souvent accompagnée de frites que l'on n'a pas commandées, mais que l'on mange puisqu'on les a payées ! On considère, inconsciemment, que manger à l'extérieur est un moment « spécial », unique, dont il faut profiter au maximum ; on s'autorise alors à consommer davantage. Malheureusement, ces moments deviennent la norme et nos kilos… excédentaires aussi.

Le but premier de la nourriture est de préserver la santé, elle est la condition *sine qua non* d'une vie équilibrée et harmonieuse.

LE *KI* NOURRICIER

> « La chaleur de la nourriture passe d'une main à l'autre. »
>
> SANTOKA, poète japonais (1882-1940)

Une main, sa chaleur, son amour sont la force, la vie. N'est-ce pas cette main qui soulage les douleurs, apaise les cœurs, réchauffe les âmes, apporte de la sympathie, calme un enfant, console, masse, guérit, aime, transmet tout ce que les mots ne peuvent dire, les médecins guérir, les médicaments soigner ?

Les aliments préparés par cette main sont empreints de *ki*, cette force vitale si chère aux Orientaux. Les Japonais l'expliquent par la « force de la vie » transmise par la main – la paume serait l'endroit du corps qui en possède le plus. C'est cette même force qui fait que les scientifiques observent de belles molécules dans l'eau d'un vase que l'on serre avec amour dans ses mains, et des molécules irrégulières dans le vase d'à côté qui a été délaissé[1].

---

1. Voir Dr Masaru Emoto, *Le Message de l'eau.*

Pain malaxé à la main, spaghettis faits maison par la mamma italienne, galettes de céréales des Africains, boulettes de riz des Japonais, la quiche lorraine préparée avec amour par sa mère…, tous ces mets nourrissent et, bizarrement, rassasient infiniment plus que leurs sosies du commerce. Pourquoi ? Cette nourriture atteint directement le cœur, procure chaleur et bien-être. C'est cet amour, ce *ki*, qui nous nourrit, nous donne notre force, tout autant, sinon plus, que les meilleurs nutriments du monde.

CUISINER ET « DÉCOMPRESSER »

> « Nul exercice de yoga, nulle méditation dans une chapelle ne vous remontera plus le moral que la simple tâche de fabriquer votre propre pain. »
>
> M.F.K. FISHER, *The Art of Eating*

Joindre l'utile à l'agréable, voilà l'idéal de toute activité délassante. Le plaisir des choses simples, faites à la maison sans se presser sont les tendances d'un nouveau style de vie encouragé par le mouvement « Slow Food » (en opposition au terme « fast-food »)[1]. Cuisiner, c'est savourer des moments de détente et de bien-être. Si l'on adopte cet état d'esprit, cela devient tout le contraire d'une corvée. Nous

---

1. Fondé à Paris en 1989, le mouvement international Slow Food s'oppose aux effets dégradants de la culture du fast-food. Son but est de préserver les cuisines régionales, les espèces animales et végétales. Autour de ces thèmes, avec plusieurs associations à travers le monde, il organise des événements : ateliers du goût sur les mets et les vins, visites chez les producteurs, dîners thématiques…Voir www.slowfood.fr

vivons dans un monde si robotisé, d'une telle technologie, que nous devenons assoiffés de choses qui nous relient humainement aux autres, qui nourrissent notre âme, nous permettent d'apprécier la vie, de prendre notre temps, de lâcher prise, de nous déconnecter de l'extérieur, et de laisser notre esprit vagabonder pour démêler l'écheveau de ses pensées.

S'AMUSER, JOUER À LA DÎNETTE

> « Le travail à vie de ne faire qu'un avec les tâches du quotidien mène à l'union de l'esprit avec les saisons et la nature. »
>
> SOSHITSU XV, *Tea Life, Tea Mind*

Un de mes grands plaisirs dans la vie est de cuisiner « menu » : regarder une poignée de lentilles danser dans la casserole, placer ma planche à découper et mon couteau, avec les petits bols alignés soigneusement dans l'ordre immuable selon lequel je les remplis de mes ingrédients préparés – lavés, coupés – avant de passer à l'étape suivante, la cuisson ; j'aime agir selon un rituel, lentement, méthodiquement, sereinement.

Il faudrait toujours faire de l'acte de cuisiner un moment de détente, de jeu, sans contrainte ni sentiment du devoir, sans calcul non plus. Si vous êtes obligé de penser « efficacité » parce que votre temps est compté, convainquez-vous de mettre à profit cette activité comme une occasion de « recharger vos batteries » et de vous détendre. Cet état d'esprit est également important pour les personnes vivant seules et qui rechignent bien souvent à cuisiner pour elles seules. Or dix ou quinze minutes passées à préparer un plat chaud fait toute la différence en termes de santé, et de moral.

Verser de l'eau, poser la casserole sur le feu... nos âmes et nos corps accomplissent tant ! Beauté des gestes quotidiens, de ces gestes familiers, inconscients, naturels... Leur grâce peut enrayer la monotonie du quotidien, nous reconnecter à nous-mêmes. Et puis, plus vous cuisinerez, plus vos gestes viseront à la perfection. Ils se feront comme oublier, ils s'accompliront avec plus d'aisance. Ah ! cette culture du geste si chère aux Japonais, aux grands cuisiniers et aux artisans... n'est-ce pas là la conquête de l'homme par lui-même ? Mais pour cela, trois étapes sont nécessaires car cuisiner, ce n'est pas seulement allumer le gaz : c'est d'abord faire les courses, puis composer son menu et enfin s'affairer aux fourneaux. Pas de panique : il existe un nouveau style, la « semi-cuisine », qui permet de préparer en un petit quart d'heure un repas chaud, délicieux et sain. La dernière partie de ce livre vous en livrera quelques recettes...

2

LES COURSES INTELLIGENTES

LE FOYER ET L'ÉCONOMIE

> « Une vie simplifiée est libre des nécessités du luxe... Cela coûte incroyablement peu de soucis de se procurer la nourriture nécessaire à la santé seulement. »
>
> HEGEL

L'achat des denrées alimentaires est la base de la science culinaire : pour manger bon, bien, sainement, diététiquement et chez soi, il faut d'abord savoir bien faire les courses.

En matière d'alimentation, la qualité est ce qui devrait primer. Certes, il est impossible de bien se nourrir à moindre goût et à moindre coût, mais manger peu et de qualité ne revient pas plus cher que de consommer en grandes quantités des produits de mauvaise qualité ou suspectement bon marché. Un de mes amis japonais très gourmet – comme la plupart de ses compatriotes ! –, qui vit seul dans un quartier cher de Paris, me dit manger et boire, sans se priver, pour environ cent quatre-vingts euros par mois.

Un autre de mes amis, plus frugal, estime, lui, que c'est beaucoup trop. Même en comptant le prix des boissons prises à l'extérieur le soir...

N'ACHETEZ QUE DES PRODUITS DE SAISON

Pour bien acheter, choisissez vos denrées en fonction de leur période de plein rendement : leur prix est moins élevé et elles sont de meilleure qualité. C'est pour cela qu'il faut, une fois tous les produits de base soigneusement emmagasinés dans son placard, décider de ses menus en fonction de ce que l'on trouve sur le marché, et non le contraire !

Trouvez-vous parfaites ces primeurs qu'en leur snobisme certains gourmets font figurer dans leur menu ? Insipides, aqueuses, on ne les estime qu'en raison de leur prix élevé. Durs sont les petits pois en avril, acides sont les fraises en mars. Donc pas de primeurs ; votre bourse aussi bien que votre estomac s'en porteront mieux. Il est facile de comprendre que plus l'arrivage d'un produit est abondant, plus son prix est avantageux. Faites un tour du marché avant d'acheter. Faites comme les restaurants qui, sur leur menu, inscrivent « plats du jour », et les composent avec ce qui était avantageux sur le marché. Vous aussi, optez pour un « plat du jour » chez vous : vous réaliserez non seulement des économies mais vous vivrez au rythme des saisons, pour le grand bien de votre santé.

ÉVITEZ LES VISITES FRÉQUENTES
DANS LES GRANDES SURFACES

> « J'ai acheté cela pas cher pour faire des économies.
>
> — Et alors, maintenant, est-ce que nous sommes plus riches ? »

David LYNCH, extrait du film *Inland Empire*

Si vous voulez bien manger en cuisinant chez vous, seul ou à deux, évitez d'aller faire vos courses, excepté une fois par mois environ, dans de grandes surfaces (halles, supermarchés…). Ces géants du consumérisme vendent bon marché, certes, mais en trop grandes quantités : vous êtes alors tenté par des prix sans concurrence, et, à moins d'avoir une famille nombreuse à nourrir, vous dépensez en produits non basiques les économies que vous escomptiez réaliser au départ. Si vous vous habituez à cuisiner simplement, avec des ingrédients faciles à se procurer, si vous avez assez de produits de base chez vous, (sel, poivre, huile, graines et pâte de sésame, vinaigre, moutarde, thé, café, farine, riz, pâtes…), vous pouvez vous contenter d'une ou deux visites hebdomadaires pour les produits frais et le pain sur un marché de quartier et chez le boulanger.

Pour acheter dans les grandes surfaces, la première règle est donc la vigilance : ne prenez que le strict nécessaire. Pourquoi posséder dix variétés d'huile, de moutarde et de vinaigre ? Une huile pour la cuisson et une pour les salades suffisent. Vous pouvez toujours changer lorsque vous achetez une nouvelle bouteille.

De plus, trop de produits de base rendent l'acte de cuisiner trop « sérieux » et astreignant, car demandant du temps et de l'énergie, pour les sortir, les ranger, faire la vaisselle…, ce qui a pour résultat, surtout lorsqu'on rentre fatigué du travail, de ne compter que sur le micro-ondes, les repas préparés du traiteur ou de la pizzeria du coin.

Si vous voulez manger moins, mieux et chez vous, cessez de remplir vos placards d'aliments inutiles destinés seulement à colmater, compenser, là, dans leurs paquets, leurs bocaux, votre fatigue, vos frustrations, vos angoisses ou votre stress. Veillez, au contraire, à ne jamais manquer de « bonnes » choses, comme du pain complet, du jambonneau, des fruits mûrs à point – c'est aussi tout un art de les choisir et les laisser mûrir –, ou des yaourts onctueux – mieux encore, faites-les vous-même si vous en consommez au quotidien. Une de mes amies très frugale me dit que, pour elle, c'est presque un crime de rapporter à la maison plus qu'elle ne peut consommer.

Et puis, lorsque vous achetez, regardez les étiquettes : plus la liste des ingrédients est longue, moins ceux-ci sont naturels. Enfin, que ce soit pour les boîtes de conserve, les condiments ou les produits frais, choisissez les plus petites tailles. Pas de maïs en boîtes d'un kilo, pas de grosses parts de fromage. Les fruits et les légumes les plus petits sont souvent les plus goûteux. De surcroît, tout ce qui est petit est facile à transporter (un panier plus léger au bras), et à entreposer (des champignons séchés, des condiments lyophilisés tels que l'ail, les échalotes, les oignons…). Si ces derniers sont frais, ils sont, certes, meilleurs mais qui dit « semi-cuisine » doit faire des compromis entre un repas qui demande une heure de préparation et une bonne ratatouille au parmesan faite en dix minutes… Eh oui, pour « cuisiner sans cuisiner » il faut réfléchir, prévoir et faire de petites concessions à ce que l'on appelle la « grande cuisine » !

LES ACHATS ET LA RÈGLE DE TROIS : « UNE CÉRÉALE, UNE PROTÉINE, UN LÉGUME »

> « Celui qui a commencé à vivre plus simplement de l'intérieur commence à vivre plus facilement de l'extérieur. »
>
> Ernest HEMINGWAY

Est incluse dans ce livre la liste complète de tous les ingrédients qui permettent, en les ayant chez soi, de se nourrir sainement, diététiquement et délicieusement tout en n'allant faire son marché qu'une ou deux fois par semaine. Mais, au marché aussi, il faut savoir « calculer » pour manger varié et sain.

Lorsque vous faites vos courses, pensez à la « règle de trois » pour composer vos repas. Si vous avez déjà des céréales chez vous (riz, quinoa, pâtes…), pensez à trouver, pour vos légumes, trois couleurs : un rouge, un jaune, un vert. Pour les protéines, également, achetez trois variétés (un peu de poisson, de viande, des œufs ou du tofu…). Seuls les fruits peuvent être achetés par sept par personne (pour une semaine).

C'EST NOUS QUI AVONS LA RESPONSABILITÉ DE LA PLANÈTE

> « Nous utilisons de trop grandes rations d'eau et de vivres. Nous perdons trop de temps à la préparation de deux repas par jour alors qu'un seul suffirait. »
>
> Théodore MONOD

C'est auprès de ses fourneaux qu'un(e) maître(sse) de maison peut participer le plus efficacement à l'amélioration des problèmes mondiaux et à l'avenir de la planète. Eh oui !

Si tous et toutes décidaient du jour au lendemain de ne plus acheter de viande, imaginez la surface impressionnante libérée pour cultiver des céréales pouvant nourrir toute la planète !

S'ils et elles refusaient d'utiliser des produits industriels, que deviendraient les supermarchés et les camions pollueurs qui les transportent ?

S'ils et elles décrétaient une fois pour toutes que les graisses provenant des animaux sont des poisons, combien d'économies dans les budgets de la Sécurité sociale ferait-on réaliser en évitant ainsi le diabète, le cholestérol, les maladies dues à la surconsommation de ces produits ?

S'ils et elles refusaient d'utiliser du sucre, comment survivrait le monde de la publicité ? (On dit qu'en supprimant simplement le sucre de nos habitudes, l'industrie entière de la publicité ferait faillite. Quel produit ne contient pas de sucre ? Mayonnaise, sauce tomate, pain industriel, moutarde, soda, pâtes, pizza, conserves... presque tous en possèdent).

S'ils et elles faisaient leur cuisine chez eux, quel serait le volume des ordures, chaque matin, sur le trottoir ?

Si tous ces « si » devenaient une réalité, nous pourrions faire tomber comme des mouches les plus puissants de ce monde, les sponsors des guerres et du profit.

Et puis il n'est pas indispensable de préparer deux repas par jour. Vous pouvez très bien, le soir, en préparant votre dîner, penser au petit morceau d'omelette, au bouquet de brocolis et au riz que vous allez mettre dans votre boîte-repas du déjeuner suivant, le *o bento*. Une fois de plus, que de temps gagné lorsqu'on planifie son alimentation !

Restaurants ou plats à emporter... on peut faire mieux et moins cher chez soi. Avoir trois ou quatre pots de miels différents dans son garde-manger peut se comprendre si on est un grand amateur de ce produit. Dans ce cas, ce n'est pas du gaspillage (la variété est une chose merveilleuse). Mais en général, même la variété doit, en ce qui concerne la consommation – à distinguer de l'imagination –, être pratiquée avec modération. Une qualité que notre société a, dirait-on, oubliée. En outre, c'est bien souvent ce qui est peu cher qui est bon pour la santé (sardines, chou vert, pommes, farine complète, haricots secs, graines à faire germer...) et tout ce qui est cher qui l'est moins (foie gras, plats de charcuterie...). Ce qui se trouve sur les marchés en plein air (et non au « super » marché pour des « super » tailles) est également meilleur pour la santé et le budget. Les aliments qui conviennent le mieux à notre organisme sont ceux qui poussent dans notre région. Tant d'encombrement dans nos caddies et nos placards de cuisine pourraient être évités ! Tant de gâchis aussi ! Nous parlons de plus en plus d'« écogastronomie ». Manger bien, c'est donc manger sain, et manger « pauvre », tout simplement !

3

LE *O BENTO*

UN REPAS SUR MESURE

O bento signifie en français boîte-repas. Il correspond au casse-croûte des paysans aux champs d'autrefois, au panier pique-nique de Maupassant, à la « gamelle » de l'ouvrier. Le o bento est le repas à emporter de tout Japonais, que ce soit l'enfant qui part à l'école le matin (très peu de cantines dans ce pays), l'époux serrant avec amour la boîte-surprise préparée par sa femme le matin, ou la secrétaire soucieuse de sa ligne et de son budget. Les mères des enfants allant au jardin d'enfants rivalisent de fantaisie, d'esthétique et d'originalité dans la présentation des o bento de leurs tout-petits : l'un représentera la tête de panda avec du riz et des algues, l'autre une portion de riz blanc en forme de cœur sur laquelle le prénom de leur petit chérubin aura été inscrit avec des graines de sésame noir amoureusement grillées – les Japonais offrent ce qu'il y a de meilleur aux plus jeunes, sachant que c'est jusqu'à l'âge de quatre ans que le goût s'acquiert –, etc.

Tout Japonais se fait un plaisir d'emporter son o bento où qu'il aille (golf, visite d'un parc, travail, plage, promenade au bord de l'eau...). Il retrouve peut-être ainsi sa nature originaire de nomade, rassuré inconsciemment d'avoir à manger – l'humain se sent en sécurité lorsqu'il transporte son « manger » –, libre de déjeuner seul, où et quand il le souhaite. De plus, il emporte un peu de son « chez-lui » dans son mouchoir plié aux quatre coins et utilisé en guise de set de table.

LE PLAISIR DE PRÉPARER SON O BENTO

Chaque Japonaise adore parler de son o bento. Contrairement à la préparation des repas, cela ne représente pas pour elle une corvée, même si elle doit se lever un peu plus tôt chaque matin pour le préparer. Le mari d'une de mes amies la taquine souvent en lui demandant si elle ne va pas au bureau pour le seul plaisir d'emporter son o bento.

Préparer son o bento, c'est avoir le sentiment de bien amorcer sa journée, d'anticiper le plaisir d'un repas « sur mesure » et à son goût. Laque, bois naturel, plastique, boîtes à étages, à compartiments, longues, plates, ovales, il en existe toutes sortes au Japon. Celles pour les tout-petits ont une contenance de 200 cl, celles pour les hommes de 1 200 cl. La mienne, par exemple, est de 300 cl, ce qui équivaut à la taille d'un beau pamplemousse.

Le o bento est un plaisir anticipé qui dure toute la matinée. Il commence au moment où on le met dans son sac (l'écolier dans son cartable, le mari dans son attaché-case, les amies partant en excursion…). Pour l'enfant, tout particulièrement, c'est le ki de sa mère transporté avec lui à l'école comme un totem d'amour empaqueté qui nourrira son cœur autant que son estomac. Le o bento est considéré à la fois comme un hobby (forme de créativité culinaire et esthétique), un acte d'amour (pour soi et les siens), et une coutume incontournable. Si, en Occident, on se sent coupable de manger un sandwich, de manger malsain, à la va-vite, sur le pouce, de ne pas prendre soin de soi et de sa santé en sautant de « vrais » repas », le o bento est lui, au contraire, une vraie pause-plaisir que l'on s'octroie, envers et contre tout, un peu à l'image du *5 o'clock tea* des Anglais.

LES MULTIPLES AVANTAGES DU O BENTO

• Pas de doigts gras : on utilise des baguettes ou des mini-fourchettes.

• Pas de restes : on prépare la quantité correspondant exactement à ses besoins, le o bento étant le summum du « sur mesure » en matière culinaire : tout a été fait pour soi selon ses goûts, son appétit, ses humeurs, ses besoins diététiques… Même le meilleur des restaurants ne peut offrir cela.

• Pas de gaspillage d'emballages. Le o bento est écologique : rien n'est perdu, jeté. On garde souvent quelques restes du dîner de la veille pour le o bento du lendemain.

• Tous les avantages d'un repas complet, équilibré.

• Pas de dépenses inutiles : frugalité d'un certain art de vivre préconisé depuis les temps anciens par le zen.

• Surplus de ki et gage d'amour envers soi et les autres : la cuisine préparée avec le ki de la personne aimée est plus nourrissante, et ce en moindres quantités.

• Plaisir esthétique.

• Gain de temps : on ne fait pas la queue dans une cantine ou un restaurant.

• Côté pratique d'un repas à emporter, compact et ergonomique.

• Lien avec le passé et les traditions.

• Assurance sveltesse : la plupart des Japonaises qui préparent quotidiennement leur o bento sont minces.

L'ART DU O BENTO

N'importe quel contenant agréable, du moment qu'il est hermétique, peut convenir. Joliment noué dans un mouchoir et esthétiquement rempli, il sera digne d'être appelé « bento ».

Un o bento parfait doit se composer, en théorie, de cinq couleurs – la beauté visuelle est très importante, presque autant que le goût –, cinq goûts – salé, sucré, amer, acide, âcre –, cinq ingrédients – céréales, légumineuses, légumes, fruits, protéines – et cinq modes de cuisson – bouilli, mijoté, frit, mariné, sauté. Cela pour satisfaire les… cinq sens. Mais préparer son o bento est en réalité beaucoup plus simple qu'il n'y paraît. L'essentiel est d'intégrer autant d'ingrédients variés que possible, en minuscules quantités. Les Japonaises congèlent souvent, pour leur o bento, des petites portions de choux de Bruxelles, des goujons frits, des « dosettes » d'épinards ou de champignons, quelques boulettes de viande et légumes secs au curry (un « glaçon d'épinards » sera décongelé au contact du riz chaud après environ trois heures)… Elles consacrent en général quelques heures, le week-end, à préparer tout cela. Multiplié par le nombre de membres que compte la famille, les économies ainsi gagnées ne sont pas négligeables, au bout d'une année…

Le o bento est probablement l'une des formes du zen la plus pratique, populaire et accessible à tous : tout prévoir à l'avance, se prendre en charge sans dépendre d'autrui, ne pas gaspiller et soigner sa santé tout en vivant avec art.

Vous trouverez, à la fin de ce livre des idées de o bento avec des ingrédients faciles à se procurer et des restes du dîner précédent. Une moitié de paupiette de veau, une tomate cerise, une bouchée de pâté, un cornichon... tout peut, en réalité, entrer dans la composition d'un o bento. Les seuls aliments à éviter sont ceux qui sont trop liquides : gare à la doublure du sac à main !

4

COMPOSER SES MENUS

BIEN AGENCER SES REPAS

« **B**ien composer un menu est un fait plus sérieux qu'on ne le croit généralement. Il convient de ne le faire qu'après mûre réflexion. Il doit être énoncé clairement, d'une compréhension facile, combiné dans un sens réellement pratique, ne présenter aucun assemblage de mets disparates. Il doit en un mot donner par sa composition une idée exacte de la valeur du dîner. »

Citation trouvée dans un très vieux livre :
Économiser sans se priver

Les nutritionnistes insistent sur l'élaboration de repas équilibrés avec des règles diététiques quotidiennes. Mais si l'on mange varié et en quantités moindres, on n'a pas besoin de remplir des cases « oui », « non » pour savoir si l'on a respecté son équilibre alimentaire. Un bon repas consiste à se nourrir de saveurs que l'on déguste avec plaisir et lenteur. La dimension réelle de la vie se découvre en cultivant la pratique de ce qui est essentiel et en abandonnant ce qui ne l'est pas. Se sustenter avec intégrité, une élégante économie et de la grâce contribue à faire de sa vie une succession de moments simples et pleinement vécus.

Savoir agencer ses repas est la base de toute alimentation saine et de l'équilibre d'une vie, mais il n'est pas nécessaire

97

d'être un génie de la cuisine pour préparer au quotidien des repas équilibrés. Il suffit de suivre quelques règles de bon sens et d'être bien équipé. Si le grignotage, les plats préparés, les surgelés ou l'alimentation « vagabonde » sont passés dans les mœurs, l'impact de repas sains, cuisinés et équilibrés sur notre santé, notre moral et notre psychisme est d'autant plus revigorant et gratifiant.

IMAGINER DES MENUS CHAQUE JOUR : SURCHARGE POUR LE MENTAL ?

> « Une opération qui a lieu deux ou trois fois par jour, et dont le but est d'alimenter la vie, mérite assurément tous nos soins. »
>
> Marguerite YOURCENAR,
> *Les Mémoires d'Hadrien*

Un des plus grands casse-tête de tout(e) maître(sse) de maison a toujours été de savoir ce qu'elle allait préparer à manger. Tous ceux et celles qui n'ont pas, une fois pour toutes, établi leur propre style de nutrition auront à se soucier de ce problème jusqu'à leur dernier jour. Se préoccuper de savoir quoi manger deux fois par jour en moyenne pendant cinquante ans équivaut à se poser 36 500 fois la question. Autant se fixer un programme (que l'on peut toujours changer quand on le désire), un plan d'agencement de ses repas, des règles simples et diététiques.

Toujours privilégier la règle des trois : « une céréale, une protéine, un légume »

> « L'homme est le premier artisan de son bonheur comme il l'est de son tourment. »
>
> Cardinal Elchinger

Un bol de riz, un petit poisson, un navet… la règle des trois, pour composer ses repas comme pour faire ses courses, est très simple et déclinable à l'infini. Elle consiste, pour s'assurer un équilibre sans grands calculs de diététique, à composer systématiquement ses repas de ces trois types d'aliments – une céréale, une protéine, un légume – accompagnés par divers condiments et aromates (huiles, noix, fruits secs, herbes aromatiques, olives). Tant de maladies dues à une alimentation irréfléchie pourraient être évitées simplement en se fixant de telles petites règles ! Cela dit, ne faites pas une fixation sur l'obligation de manger absolument « équilibré » chaque jour. Il s'agit là d'une autre contrainte. Notre organisme régule l'utilisation des aliments absorbés sur plusieurs jours, au besoin il les stocke – en particulier dans le foie, pour ce qui concerne les vitamines et les minéraux. Nous ne pouvons ingurgiter en un jour tout ce dont notre organisme a besoin !

Choix de céréales

Riz, quinoa, boulghour, pâtes, pain, légumes secs (lentilles, pois chiches, pois cassés…)

Choix de protéines

Fromage, œufs, viande, poisson, tofu, légumes secs comme les lentilles, les flageolets, les pois secs (considérés à la fois comme céréales et protéines)…

Choix de légumes

Légumes à feuilles, racines, tubercules…
Choix d'un fruit
Seuls les fruits devraient être pris en dehors des repas pour assurer une bonne assimilation de leurs enzymes – les fruits rouges tels que les fraises, les baies ainsi que les fruits cuits peuvent être, eux, consommés avec d'autres types d'aliments.

N'OUBLIONS PAS QUE LA BIÈRE EST UN FÉCULENT…

À Pékin, lorsqu'on passe sa commande dans un restaurant, on doit d'abord choisir entre de la bière – considérée là-bas comme ayant la même valeur que toute autre céréale, puisqu'elle est faite avec du houblon –, du riz ou de petits raviolis fourrés – appelés *gyoza*, fabriqués à base de blé. Pas de riz, donc, si l'on choisit du blé. Pas de bière non plus si l'on choisit du riz. On peut ensuite sélectionner sur le menu toutes sortes de petits plats d'accompagnement, qui sont plutôt des amuse-bouches.

VARIÉTÉ, ORIGINALITÉ ET HERBES AROMATIQUES

Moins on mange, plus on peut se permettre de préparer des repas variés. Il n'est pas besoin d'être Einstein pour accompagner un plat méditerranéen de pain aux olives, un fromage fondant de pain aux noix, ou un plateau de fruits de mer de pain de seigle. Plus que chaque mets, c'est l'association bien pensée des différents ingrédients qui donne du charme ou du caractère à un repas. Vous pouvez parfaitement préparer un dîner simplissime mais sublime en vous offrant une petite tranche de foie gras, une salade frisée, du pain grillé et un verre de bordeaux ; ou bien une minipizza faite maison – la pizza la plus authentique n'est faite que de pâte, quelques tomates et une lichette de fromage – accompagnée d'une coupe de champagne. Pourquoi pas ? Le tout est de toujours allier plaisir, simplicité et originalité afin de rompre avec la routine conventionnelle et ennuyeuse de l'éternel « une entrée, un plat principal, une salade, du fromage et un dessert ». Si vous avez mis du roquefort sur vos endives vous n'avez pas besoin d'en reprendre en fin de repas. Vous pouvez fort bien prendre votre dessert comme un en-cas en fin de soirée ou au petit déjeuner.

Un autre petit secret est de toujours avoir chez soi au moins quatre ou cinq sortes de plantes aromatiques. Une omelette à la ciboulette, un potage au fenouil, une sauce persillée, une salade au basilic… Si vous le pouvez, pourquoi ne pas les cultiver dans un bac sur votre balcon ou le rebord d'une fenêtre ?

S'UNIR AUX SAISONS ET À LA NATURE

> « Premier jour de l'an
> Dans l'antique bouilloire
> L'eau au goût de fleur. »
>
> Haïku de Chantal PERESAN-ROUDIL

L'*Almanach des gourmands*, de Grimod de La Reynière, publié de 1803 à 1812, comportait un « calendrier nutritif » détaillé, mois par mois, des ressources culinaires disponibles selon les saisons. Il contenait également un « itinéraire nutritif », la promenade d'un gourmand à travers les divers quartiers de Paris. Vous aussi, planifiez non seulement vos repas, mais tout ce qui s'y rapporte au fil des saisons. Pique-niques et généreuses salades composées l'été, cueillette des girolles en automne, châtaignes grillées au coin du feu et fruits de mer l'hiver, petits pissenlits frais et tendres au printemps…

Il est tellement dommage de ne pas mettre en valeur le charme de chaque saison, de ne pas chercher à en extraire le meilleur, ne serait-ce qu'une fois par saison, pour « marquer » son passage… La lassitude gastronomique conduit à une alimentation malsaine, à la morosité de la vie et à la maladie. Cela peut même nous bloquer dans certains états émotionnels et priver notre organisme de nutriments indispensables. Pourquoi ne pas remettre aussi à l'ordre du jour certaines traditions religieuses ? La plupart avaient pour principal but de réguler nos envies, de ne pas gaspiller et de prévenir la maladie, comme de finir le lundi les restes du repas dominical plus copieux, de manger maigre le vendredi et durant la période de carême, de faire le ramadan, ou encore des jeûnes réguliers, comme le font les Indiens – tous jeûnent à des périodes précises de l'année variant selon les appartenances religieuses – le nombre de ces jours de jeûne peut atteindre plus de 120 !

Toutes ces vieilles traditions sont si simples et si… rationnelles ! De plus, se fixer certains plats à des jours précis évite d'avoir à se casser la tête pour savoir quoi manger et, entre les saisons, les jours de fête et de cérémonie, il y en a suffisamment sur un an pour respecter une alimentation variée. Suivre la nature, suivre des rites… on peut faire de ses repas des poèmes. De petits poèmes éclairs qui nourrissent de tout ce qu'ils ne disent pas.

5

UNE CUISINE FONCTIONNELLE

LES AVANTAGES D'UN TOUT PETIT ESPACE

> « Cherchez toujours à honorer votre dieu, et ce, jusque dans les actes les plus anodins de la vie quotidienne. Ainsi balayer, prendre un bain ou faire la cuisine sont autant d'occasions d'exprimer son respect et son dévouement à son dieu, qui peut être… soi ! »
>
> Itsuo TSUDA, *Le Dialogue du silence*

Pour avoir envie de cuisiner, même très simplement, il faut avoir une cuisine pratique, agréable, fonctionnelle, dans laquelle on se sente bien. Cette cuisine, lieu de culte de l'éphémère, laboratoire des plaisirs, n'a pas besoin d'être très grande ni très sophistiquée. Il semble même que de nos jours, ironiquement, plus les cuisines sont équipées, moins on y cuisine. Pourtant, c'est dans cet endroit de la maison que se trouve le cœur du foyer – sa chaleur, au sens propre comme au sens figuré, le lieu dans lequel se déroule notre activité la plus vitale : préparer ce qui nous maintient en vie.

Une cuisine véritablement « équipée » n'est pas une cuisine avec les gadgets rutilants dernier cri, des piles de casseroles et une série de douze couteaux à découper. C'est un lieu dans lequel on cuisine, jour après jour, quelle que soit notre humeur. Et, contrairement à une idée reçue, plus une cuisine est petite, plus elle est fonctionnelle. N'avoir que quelques gestes à faire pour passer de la gazinière à l'évier, du réfrigérateur à la planche de travail est idéal. Un ou deux mètres carrés pour vaquer autour d'un aménagement en U suffisent. Si certains préfèrent les cuisines donnant directement dans la salle à manger, d'autres, comme moi, n'apprécient pas de sentir le poisson griller ni de voir les casseroles sur le feu pendant le repas. Cuisiner est une chose, prendre son repas en est une autre. Chaque activité en son temps et… son espace !

L'ORGANISATION AUTOUR DU FOURNEAU

L'organisation de sa cuisine est le b.a.-ba d'une préparation quotidienne des repas sans stress ni surcharge de travail. Ce n'est pas tant de cuisiner qui demande du travail, mais faire les courses, préparer, laver les légumes, nettoyer le plan de travail, la hotte, le sol, nettoyer, ranger les ustensiles, faire la vaisselle, stocker les aliments… Une fois encore, moins de plats, de poêles, de casseroles facilite la vie. Si vous consommez en petites portions, vous gagnerez de la place en n'utilisant que… de petites marmites, de petites casseroles, de petits bols de travail. Plus vous mangerez « naturel », moins vous aurez besoin de stocker toutes sortes de sauces, poudres, surgelés, boîtes de conserve, farines, etc. Et plus vous… cuisinerez !

(Cf. liste du matériel de cuisine p. 172)

Rangez par catégories : le petit panier

J'ai chez moi un petit panier en bambou dans lequel j'ai placé de petites fioles, de la taille de nos huiliers et vinaigriers d'autrefois, contenant tout ce que j'utilise au quotidien pour cuisiner : huile, vinaigre, sel, poivre, sauce de soja, moutarde, gingembre, ail en tube… J'ai non seulement du plaisir à manipuler ces objets, mais cela m'aide aussi à utiliser avec mesure ces divers assaisonnements. Verser de l'huile à l'aide d'une petite bouteille munie d'un bec verseur évite par exemple d'avoir à ouvrir et fermer le placard et permet d'avoir la main plus légère. Certains laissent leurs huiles, vinaigres, pots d'épices en permanence sur le plan de travail, mais ceux-ci deviennent vite poisseux et encombrent aussi bien matériellement que visuellement. Tout avoir sous la main dans un petit panier permet de ne pas laisser brûler l'omelette pendant qu'on cherche le sel ou qu'on veut rajouter un peu de poivre dans le pot au feu. Si vous êtes très « épices », vous pouvez avoir un autre de ces petits paniers pour rassembler vos trésors. Ce mode de rangement aide, de plus, à ne pas acheter en trop grandes quantités des produits qui perdent vite saveur et fraîcheur. Quelques grammes de cardamome ou de curcuma suffisent à parfumer les plats et un sachet vous durera plusieurs mois. Une fois la cuisine terminée, je remets le panier à sa place. J'achète en général de petites bouteilles de la meilleure huile ou du meilleur vinaigre, et j'ai depuis longtemps abandonné l'idée que trois variétés de chaque étaient indispensables. Je préfère acheter des légumes variés et de saison. Quant aux sauces, excepté la mayonnaise (qui se conserve mieux en tube et est sous cette forme déclinable à souhait : avec du lait, des œufs de morue, du ketchup, des fines herbes, du citron…), je fais tout moi-même, modifiant la composition au gré de mes humeurs.

RASSEMBLEZ LES USTENSILES DE CUISINE PAR GROUPES DE « FONCTIONS »

Un couteau doit avoir sa place près de la planche à découper et des petits contenants en aluminium de service destinés à recueillir légumes en préparation, viandes en macération, épluchures… ainsi que des bols mélangeurs et une minipassoire. Tout cela devrait être placé aussi près de l'évier que possible. Ces détails font gagner tant d'énergie et de temps en gestes ! Vous éprouverez même un nouveau plaisir comme celui de « jouer ». Mes amies japonaises m'ont enseigné beaucoup de petits automatismes qu'elles considèrent comme naturels : marquer une planche à découper d'un côté pour les viandes, et de l'autre pour les légumes, afin de ne pas mélanger les odeurs, ou nettoyer le poisson sur un film alimentaire puis envelopper les déchets dans du papier journal lui-même mis dans un sac en plastique afin d'éviter, une fois de plus, les odeurs et de salir la poubelle. Tant de minuscules détails pensés, de techniques de « pro » me font aimer être dans ma petite cuisine où, pour moi, procéder avec ordre et méthode est un rituel sacré. Le bien-être que je ressens dans cet endroit résulte d'une impression profonde : chaque chose occupe exactement la place qui lui est destinée, chaque objet est adapté à mes besoins. Ma poêle de 20 cm me suffit pour cuisiner pour deux ou plusieurs personnes, car chaque mets préparé l'est en petite quantité. Sa légèreté, tout comme celle du petit faitout, me donne envie de l'utiliser de la même manière que je jouais, autrefois, à la dînette. Je n'ai jamais ressenti autant de plaisir à cuisiner que depuis que j'ai appris ce secret : tout réduire à de plus petites tailles.

LE RÉFRIGÉRATEUR

À mesure que nous nous « modernisons », la taille de nos réfrigérateurs augmente. Comme si nous avions besoin de stocker de la nourriture pour tout un régiment ! Si vous achetez des produits frais tous les trois jours, un petit réfrigérateur suffit. Il y a d'ailleurs beaucoup de produits qui se conservent dans le placard, et que l'on met, Dieu sait pourquoi, dans le réfrigérateur (moutarde, mayonnaise, œufs…). Assurez-vous donc que la taille de votre prochain réfrigérateur ne dépassera pas celle de vos besoins. De plus, un gros réfrigérateur consomme beaucoup d'énergie et perd plus de chaleur qu'un petit, à moins d'être entièrement rempli. Enfin, lorsqu'il est trop volumineux, on y oublie facilement la nourriture. Une Chinoise chef cuisinier disait à la télévision que nous devrions « vider » complètement nos réfrigérateurs (comme nous le faisons pour nos intestins) tous les trois ou quatre jours, jusqu'au prochain jour de marché. Pour les Chinois, manger, c'est d'abord se procurer les produits les plus frais possible. Et ne pas gaspiller.

DES TORCHONS IMMACULÉS

> « As-tu fini ton riz ?
> — Oui.
> — Alors, va laver ton bol. »
>
> *Leçon d'un maître zen à son élève*

Mes séjours dans des temples zen m'ont fait attraper ce que certains considéreront comme une maniaquerie : la propreté des torchons. Souvent mal aimés, ces malheureux traînent un peu partout dans la cuisine, dégageant une impression de désordre, de débordement et de saleté. À l'inverse, pour les Japonais la propreté est une seconde nature avec leur manie des torchons, des serviettes, de tout ce qui sert à laver, essuyer, protéger de la poussière. Le secret est, une fois encore, d'avoir de petits torchons, pas plus grands qu'un mouchoir de poche, humides et pliés, sur lesquels reposer la lame du couteau entre deux tâches, essuyer la vaisselle au fur et à mesure qu'on la nettoie, protéger un récipient de la poussière… Ces torchons sont idéalement en coton blanc pour davantage de netteté. Les meilleurs sont les plus absorbants et usagés (on peut les confectionner soi-même avec une double épaisseur de coton fin en gaze). Et chaque soir, on les met à tremper avec quelques gouttes de liquide à vaisselle dans un saladier en Inox, dans l'évier, jusqu'au lendemain matin. On les étend le matin, et on les retrouve secs le soir, accrochés à leur place, prêts à être réutilisés ! Pour une Japonaise, laver ses torchons de cuisine en même temps que le linge de corps est impensable ; sans parler de la perte de temps à les repasser et à les plier !

FAIRE LA VAISSELLE, CHÉRIR SES CASSEROLES

> « Le bruit d'une femme
> Nettoyant la marmite
> S'harmonise avec celui de la grenouille. »
>
> RYOKAN, haïku

Si vous lavez au fur et à mesure que vous cuisinez, vous devriez avoir une cuisine impeccable au moment où les aliments cuisent sur le feu puis lorsque vous passez à table. Quand vous lavez votre vaisselle, appréciez la beauté, la précision et la manufacture de vos ustensiles de cuisine. Nettoyez-les avec soin et traitez-les comme s'il s'agissait de la prunelle de vos yeux, recommande le zen. De bons ustensiles aident vraiment à préparer des repas beaux, mémorables et... sacrés. Les tâches domestiques seront peut-être revalorisées le jour où nous comprendrons l'importance qu'elles ont sur notre équilibre physique et psychologique. Ce sont ces détails pratiques qui apportent des solutions concrètes au nouveau mal de vivre, au vide que nous pouvons ressentir dans l'existence. Il est pourtant si simple de rendre cette vie plus esthétique, riche et vivante ! Une cuisine bien rangée, par exemple, met dans des conditions d'esprit harmonieuses. Il ne s'agit pas d'une discipline militaire mais de vivre tout simplement dans l'ordre en... le pratiquant. Placer les ustensiles à cuisiner dans un coin et ceux à servir la nourriture dans un autre, rassembler en un seul endroit ce qui servira à décorer la table (sets de table, plateaux, bougies, serviettes, couverts, porte-couteaux ou porte-baguettes...), bref, être préparé et organisé permet de s'adonner à l'activité domestique de cuisiner comme à une activité noble. Prêter attention aux différents matériaux, comme une vieille petite poêle élégamment noire de suie après des décennies de bons services, anti-adhérente car huilée naturellement – une poêle en fonte ne se lave jamais, mais s'essuie simplement, sauf après le poisson – posée à côté d'une serviette blanche immaculée et minutieusement pliée, sur laquelle repose la lame argentée et étincelante d'un couteau parfaitement affûté représente pour moi une véritable composition artistique, un tableau qui m'apaise, me conforte, m'émeut. Des objets qui, chacun, me rappellent l'artisan qui les a fabriqués, les multiples mets qu'ils ont exécutés, la fidélité qu'ils m'ont chaque jour apportée, comme de bons et silencieux serviteurs. Ces objets sont mes amis. Et plus ils sont vieux, plus je les aime.

QUE FAIRE DE TOUT CE QUI EST TROP VOLUMINEUX ?

Même si vous vivez à trois, quatre ou plus, ou que vous recevez, vous n'avez pas besoin d'une armada d'ustensiles. On peut cuisiner une multitude de plats dans de petits faitouts et poêles. En supplément, un grand saladier et un plat à quiche suffisent. Il faut savoir s'adapter aux circonstances de la vie qui, nul ne l'ignore, est en changement perpétuel. Ne gardez que des objets adaptés à votre main, des objets que vous avez du plaisir à toucher, entretenir, que vous aimez et, surtout, que vous UTILISEZ.

6

À VOS FOURNEAUX...

LA SEMI-CUISINE

> « Devant le volubilis
> Je suis homme à avaler
> Mon frugal repas. »
>
> BASHO

Ah, le charme des demi-mesures ! Tout comme celui d'une fleur à demi épanouie ou celui d'une demi-ivresse, le charme de cuisiner peu mais bien est infini. Si vous manquez de temps ou d'envie, vous pouvez pratiquer un style de cuisine que l'on nomme « semi-cuisine », qui nécessite un minimum de préparation et de temps mais qui est saine et délicieuse. Une cuisine qui se prépare en une quinzaine de minutes environ. Et nul n'a besoin d'être un virtuose pour cela. Il suffit d'avoir quelques « tours dans son sac ». Une simple boîte de sardines et d'excellentes pâtes à la tomate peuvent, en un quart d'heure, constituer un repas de roi. Et Dieu sait s'il y en a de ces plats délicieux d'une simplicité enfantine ! (*voir recettes en fin de volume*). La semi-cuisine est l'alternative aux repas tout préparés, aux livraisons à domicile, mais aussi l'antipode de la cuisine gastronomique, des copieux repas entre amis, ou de la cuisine de chef. Certes, la cuisine est un art à part entière, mais tout le monde n'a pas l'envie, le temps ou les moyens de le pratiquer au quotidien.

La semi-cuisine est donc idéale pour ceux qui sont las de ne manger que des plats tout faits, ceux qui veulent mieux gérer leur santé et… réduire leurs dépenses ainsi que les heures passées à concocter un plat avant de s'attaquer à une montagne de vaisselle.

Mais il me faut insister, et ce, par expérience, sur un point : vous devez, tout du moins au début, vous appliquer au maximum pour faire de bons plats avec un minimum d'ingrédients, de temps et de savoir-faire.

Si ce que vous vous cuisinez n'est pas SUCCULENT, RAPIDE et DIÉTÉTIQUE, vous aurez vite fait de revenir à vos vieilles mauvaises habitudes, à savoir laisser tomber vos plats et vos fourneaux pour recommencer à vous nourrir de produits industriels, de fast-food ou de charcuterie. Tout début est difficile, mais, une fois de plus, c'est en persévérant qu'on obtient des récompenses et du changement.

CUISINEZ SIMPLE

> « La transparence des flammes
> Lui donne des couleurs
> Sardine grillée. »
>
> Hino SOJO, haïku

Il faut être très riche pour s'enrichir encore en se dépouillant. En cuisine, c'est le même principe. Le mot clé est *simplicité*.

S'habituer à ne pas saler ou très peu, savoir cuire un poisson en le retournant seulement une fois dans la poêle puis le servir avec un filet de citron vert et une pomme de terre vapeur accompagnée d'un poireau en vinaigrette sont des choses qui s'acquièrent, qui s'apprennent. Mais ce qui s'apprend surtout, c'est que faire griller un morceau de poisson est beaucoup plus facile et sain que cuisiner de la viande !

Si des pâtes sont bonnes (encore mieux : fraîches), une noisette de beurre, des asperges, quelques gouttes d'huile d'olive et du vieux parmesan râpé en feront un festin. Manger simple, c'est servir un bol de grenades égrainées ou de petites fraises sucrées avec un bon champagne en apéritif, se contenter d'une noisette de beurre frais sur une baguette encore chaude avec une bonne soupe de lentilles.

L'art de vivre luxueusement, c'est bien souvent l'art du peu : quelques aliments ultrafrais au goût parfait. Si un aliment a du goût, un chef japonais ne lui ajoute rien. C'est le principe de base de la cuisine japonaise. Pas d'addition mais de la soustraction (amertume, mauvaises odeurs…). Ou bien on ajoute juste un « tout petit rien », de quoi donner un soupçon de goût supplémentaire. Une tomate parfaitement parfumée au goût sucré classée « brix 9 » (une tomate ordinaire est « brix 3,5 », brix étant le classement du taux de sucre dans un légume ou un fruit) sera servie dans un restaurant cinq étoiles « nature », esthétiquement tranchée et éventuellement déposée sur un lit de glace pilée, rehaussée d'un soupçon de fleur de sel… Quelques ingrédients de qualité et faciles à se procurer, une vaisselle les épousant parfaitement, voilà comment se nourrir sainement, frugalement et voluptueusement. On peut atteindre un raffinement inouï dans cette simplicité visant à se rapprocher au plus près du naturel.

LES RECETTES

> « Même le plus sophistiqué des livres de
> cuisine ne peut être un substitut au dîner
> du plus pauvre. »
>
> Aldous HUXLEY

Recettes piochées dans les magazines, sur Internet, transmises par des amies, de la famille… plus le monde de l'information se développe, plus nous sommes soumis à des choix finissant par nous donner le tournis, plus nous perdons nos repères et notre bon sens, plus nous tuons la créativité qui se trouve naturellement en nous. L'art culinaire est devenu une mode qui, comme tant d'autres formes de boulimie (plaisir, bonheur, exotisme, dépaysement…), nous susurre constamment : « Changez, essayez, achetez. » Nos arrière-grands-mères n'avaient pas de livres de recettes. Elles savaient tout simplement cuisiner et utilisaient ce qu'elles trouvaient au fil des saisons, des récoltes, pour nourrir leur famille. Seuls leur bon sens et le savoir qu'elles avaient elles-mêmes reçu de leurs aïeules les guidaient.

Un dicton japonais dit : « *Narau ja nai, nareru* », ce qui signifie : « Ce n'est pas d'apprendre mais de pratiquer qui importe. » Un beau jour, j'ai donc décidé de me défaire de tous ces livres de recettes que j'avais achetés surtout pour leurs photos séduisantes, et de noter seulement celles que j'avais appréciées ou jugées bonnes pour ma santé. Je consulte parfois ce carnet, mais je préfère maintenant « improviser » au gré des ingrédients trouvés sur mon marché. Tel est le secret d'une alimentation bonne et vraie, et la meilleure façon de trouver un équilibre entre son corps et son âme.

Cuisiner simple ne demande pas tant des recettes que des techniques, comme celle de jeter les feuilles des légumes verts encore humides de leur nettoyage dans une poêle huilée très chaude et immédiatement couverte, de mettre un peu de viande et quelques légumes à mijoter avant de « mouiller » dans une cocotte ou de préparer en un clin d'œil un petit coulis de brocoli.

MAÎTRISER L'ART DE LA SAUCE

Dans les grands restaurants, le saucier est très gradé. Car la sauce, c'est bien souvent ce qui fait le secret et l'excellence d'un mets. Mais, dans la cuisine de tous les jours, c'est aussi le pont entre frugalité et volupté. Son rôle discret, expliquait, il y a déjà quelques années, la grande spécialiste des minisauces, Marianne Comolli, est de mettre en valeur des mets quotidiens. Il est donc utile d'apprendre à cuisiner quelques sauces simples, comme une béarnaise, une sauce au citron, un coulis de légumes ou de fruits. Il suffit pour cela d'avoir un petit batteur mécanique. Vous pouvez toujours congeler les restes dans de gros cubes à glace conservés ensuite dans des sacs de congélation.

Néanmoins, résistez au besoin de tout garnir ; vous découvrirez qu'un avocat nature est délicieux. Si vous voulez absolument apprêter un aliment, vous pouvez le faire de façon saine et diététique avec une sauce adéquate. Si « peu ou rien autour de l'aliment » devient une nouvelle tendance dans le milieu culinaire, et que l'on est plus convaincu que jamais qu'il n'y a pas d'avenir dans le sucre et les graisses, une minisauce délicieuse et diététique fera de vos mets grillés, rôtis au four, cuits à la vapeur ou en papillote un véritable régal. Une cuillerée à soupe de sauce légère apporte un minimum de calories pour un maximum de plaisir. « La légèreté n'implique pas forcément la fadeur ni l'ennui. Au contraire, elle raffine », concluait Marianne.

LE CULTE DES LÉGUMES

> « Même pour une feuille de salade, j'éprouve de la gratitude, car elle me soutient en se transformant en sang et en chair. »
>
> Itsuo TSUDA, *Le Dialogue du silence*

Au Japon, toute demeure traditionnelle possède, dans son salon, une « tokonoma », sorte d'alcôve murale destinée à exposer deux œuvres d'art, généralement un rouleau de peinture et une composition florale ou bien une statuette. Mais parfois, à la place des fleurs, on peut voir une botte de poireaux, un radis noir avec ses feuilles, ou un potimarron. Ces légumes représentent eux aussi, aux yeux des Japonais, des objets dignes d'admiration et de respect. Une vieille dame enseignant la cuisine expliquait qu'elle prenait toujours les légumes dans ses mains avec autant de douceur et d'amour que possible, car elle ne voulait pas les « blesser ». Inutile de préciser que, lorsqu'on les cuisine, le plus grand soin leur est porté… Les maîtresses de maison utilisent tout leur savoir-faire afin de faire ressortir leur goût et de les servir de façon esthétique et naturelle. Une aubergine grillée sera présentée sous son aspect originel, même si le couteau en a déjà discrètement sectionné des bouchées individuelles à saisir du bout de ses baguettes. Elles choisissent aussi toujours une céramique, un grès ou une pâte de verre qui fera ressortir leur couleur et leur forme. Des radis blancs au vinaigre seront disposés dans un ramequin noir, du gingembre rose sur un grès pastel, des algues « ijiki » confites (de couleur brillante brun foncé) sur un récipient aux teintes de fond marin mat.

RECHERCHEZ LA PERFECTION
DANS LA QUALITÉ DES INGRÉDIENTS ET LE GOÛT

> « Pourquoi ne pas mourir
> En mordant dans une pomme
> Face aux pivoines ? »
>
> Shiki MASAOKA, *Cent sept haïkus*

On a souvent tendance à confondre « qualité » et produits de luxe. Or l'un n'est pas forcément l'autre. Avez-vous déjà cueilli de la mâche sous la neige pour votre déjeuner ? Son goût et sa fermeté sont exceptionnels et introuvables ailleurs que dans un jardin… Un fromage préparé avec du lait frais n'a rien à voir avec son homologue fabriqué avec du lait pasteurisé. Les légumes frais provenant d'un jardin potager sont incomparables à ceux cultivés en serres et destinés à la consommation de masse. Et ils rassasient tellement plus !

QUATRIÈME PARTIE

VOLUPTÉ ET NOURRITURES DE L'ÂME

1

Nos sens et la volupté

Aiguiser ses sens

« "Mes amis, sachez que, aujourd'hui, c'est moi le chef d'orchestre. Les vins, les plats, tout a été parfaitement étudié. Si j'ai un conseil à vous donner, ne vous jetez pas sur la nourriture, surtout au début. Il vaut mieux goûter à tout. Le meilleur plat est toujours celui qui va venir. Alors, essayez de garder un peu de place au fond de votre estomac."

L'assemblée, en liesse, éclata de rire.

"Manger, tout le monde sait le faire, reprit Zhu Ziye ; mais certains le font mécaniquement, sans souci du goût. La connaissance des goûts est une chose aussi délicate que la connaissance des hommes ; elles reposent toutes deux sur des années d'expérience." »

Lu Wenfu,
Vie et passion d'un gastronome chinois

La vie est en perpétuel mouvement. Notre santé s'améliore ou se détériore de jour en jour. Nous « digérons », « métabolisons » tout ce que nous entendons, touchons, goûtons, sentons, percevons. Exposer ses sens à des expériences exaltantes et nourrissantes fait donc partie de la santé. Un palais attentif ne cesse d'assimiler des sensations nouvelles. Textures des aliments, des contenants, de la nappe, arômes s'épanouissant dans la bouche et les narines, beauté des plats, frissons de plaisir en écoutant les bulles du champagne pétiller... ne vous contentez pas de manger. Tirez profit des cinq sens dont la nature vous a dotés. Optimisez-en les plaisirs. Souvent, si l'on mange trop, c'est parce que nous ne nous contentons pas de ne manger que ce que nous aimons réellement.

Pour être en meilleure santé et mieux vivre, il faut, nous l'avons vu dans la première partie de ce livre, manger moins. Mais il faut aussi manger avec plus de plaisir, de sensualité, de conscience. Cela implique plusieurs aspects :

- manger avec raffinement ;
- redéfinir les règles de la convivialité ;
- amplifier son ki ;
- se forger une diététique de l'esprit ;
- ne jamais dissocier nourriture et éthique.

Manger et aimer la nourriture, savoir comment et avec qui la partager relève d'un apprentissage et d'une éducation à parfaire jusqu'au dernier jour de sa vie. Le plaisir procuré par les sens s'apprend, s'éduque, s'enrichit et nous transforme à chaque nouvelle expérience. On parvient alors à apprendre à vivre autrement. Comme dans la végétation d'un jardin, où, malgré l'absence de fleurs, notre œil est attiré par chaque feuille, chaque tronc d'arbre, chaque pierre, chaque mousse, chaque dégradé de verts, de bruns et de gris, notre palais peut trouver de nouveaux plaisirs dans une feuille de salade, une câpre ou un bigorneau. Manger devient alors une affaire de goût dans tous les sens du terme.

Le grand cuisinier Joël Robuchon dit que, de tous les arts, la cuisine est le seul qui fasse simultanément appel aux cinq sens. Ce n'est pas un hasard si manger et faire l'amour sont les deux occupations préférées de l'être humain. Des études scientifiques ont démontré que ce sont les mêmes cellules cérébrales qui sont activées par la nourriture, l'activité sexuelle et la musique. Pour manger peu, le seul impératif est donc de manger avec plaisir. Si vous grignotez quelques frites lentement, avec autant de concentration que possible, vous n'aurez pas perdu votre temps.

Mais faire bonne chère, ce n'est pas seulement bien manger : c'est réaliser que nous avons le choix de ne pas tout accepter de la nourriture à notre disposition pour ne se régaler que du meilleur. C'est par exemple dire adieu aux yaourts à 0 % de calories que vous consommez par demi-douzaine pour déguster un seul vrai yaourt !

LE GOÛT ET LA LANGUE

> « La faiblesse de nos sens ne permet à chacun de nous que de prendre conscience d'une partie bien minime du monde. »
>
> Alexandra DAVID-NEEL

Nous l'ignorons peut-être, mais nous possédons dans notre système buccal environ sept mille bourgeons du goût situés principalement sur la face supérieure de la langue, la muqueuse du palais, et dans l'arrière-bouche. Chaque saveur est spécifiquement perçue par l'un d'eux. Ainsi c'est la pointe et la partie antérieure des bords de la langue qui perçoivent le sucré, le dos de la langue l'amer, les bords et la base de la langue l'acide. Le sucré, lui, se fait sentir sur presque toute la surface. C'est pour cela que nous apprécions particulièrement une glace en la léchant ou une bière en la buvant au goulot. Leur goût rentre directement en contact avec nos papilles sans en être empêché par le dos d'une cuillère ou l'utilisation d'un verre. Boire une soupe dans un bol, en portant celui-ci à ses lèvres, prend ainsi toute sa saveur. D'où l'importance des contenants, mais aussi de la découpe ou de la taille de chaque bouchée.

ÉCOUTER

> « Rien dans notre intelligence qui ne soit passé par nos sens. »
>
> ARISTOTE, *Métaphysique*

Une châtaigne éclatant sur la braise, un grillon furibond, font-ils de la musique ? De nos sens, l'audition est, en ce qui concerne l'alimentation, le dernier à être impliqué. Une belle salade verte ou un concombre, n'apportent de véritable plaisir que lorsqu'ils craquent sous la dent. L'amateur de bière, lui, ne manque jamais d'apprécier l'agréable chuintement qui se fait entendre lorsqu'il décapsule sa bouteille. Et quelle musique divine que les bulles de champagne se cognant à la surface du cristal en remontant ! Les amateurs de thé, eux, se plaisent à percevoir le crépitement des feuilles sèches à l'instant où l'eau bouillante les saisit. Une cuisinière juge de la température de son huile au crépitement de la friture, elle « percute » une huître pour en connaître la fraîcheur ou bien encore « tapote » un melon pour évaluer sa maturité, un pain pour sa cuisson.

Par extension, pour enrichir l'atmosphère d'un bon repas, il faut savoir choisir ce que l'on donnera à notre oreille et qui s'accordera au reste : silence ? Musique ? Les bruits de la nature ? Un fond de musique chinoise pour des rouleaux de printemps, du baroque pour un foie gras... question d'harmonies et de goûts !

PALPER

> « Il distinguait, et avec quelle compétence, les plus subtiles nuances d'une préparation, appréciant également la texture du bois de la table, ou du tissu de la nappe, la taille de la serviette, le galbe d'une coupe. »

> Hector BIANCHOTTI,
> *Comme la trace de l'oiseau dans l'air*

Qui sait si le succès des fast-foods ou celui du sandwich ne tient pas, en partie, au fait qu'on mange avec les doigts ? Porter les aliments directement à la bouche est une des satisfactions primitives de l'être humain. Je fais toujours fi des bonnes manières lorsque j'ai des frites devant moi. Quoi de plus délicieux que d'en saisir une, de la mordiller pour mieux la savourer ? Voilà un autre moyen « diététiquement permis » de s'octroyer du plaisir. Au Japon, on se doit de manger les sushis avec les doigts. Un de mes amis japonais, à qui je servais des choux de Bruxelles cuits à la vapeur, prit instinctivement ce légume inconnu pour lui avec les doigts, le savourant comme une grosse fraise. Qui, enfin, pourrait nier le plaisir suprême de manger avec les doigts un reste de cuisse de poulet froid, à minuit, sur un coin de table ?

Mettre de ses doigts la nourriture dans la bouche d'un être aimé ou d'un enfant est une marque d'intimité, d'amour. Caresser le galbe d'un ballon de vin rouge, prendre dans la paume de ses mains un bol chaud, sentir un glaçon contre ses lèvres... tout peut être prétexte à de nouvelles sensations.

J'ai visité une fois, au fin fond de la campagne japonaise, un petit bar dont la vitrine éclairée derrière le comptoir contenait toute une collection de verres et, parmi eux, un magnifique Baccarat incrusté d'un énorme rubis. Surprise, j'ai questionné le patron : « Certains clients aiment boire dans leur propre verre. Le propriétaire de ce verre est un riche industriel. Mais, précisa-t-il, il ne boit que des jus d'orange ! » Et puis, voici une délicieuse coutume japonaise pour profiter de ses sens à table : l'*oshibori*. L'oshibori est une petite serviette en coton éponge roulée, mouillée et essorée que l'on présente aux clients dès qu'ils s'installent à la table d'un café, d'un restaurant, chez des amis, ou même à un comptoir de parfumerie. En général chaude au début des repas et glacée à la fin, elle sert à se rafraîchir : les hommes se la passent avec soulagement sur le visage, les femmes se contentent de se rafraîchir les mains. Elles sont parfois parfumées à l'essence de *hakka*, une plante similaire à la menthe, très vivifiante. On sait alors avec plaisir que le repas va commencer, et on oublie en un instant la lassitude de la journée.

HUMER

> « Je pense doucement, doucement au parfum du pain qu'on m'apportait à midi, au parfum du fromage de campagne de quatre heures, à "la cerise" de ma grand-mère, à toutes les saines odeurs des placards, des armoires et du jardin. Un autre pays qui est celui de mes rêves, où je passe toujours. »
>
> Alain-FOURNIER, *Correspondance*

De tous les sens, l'olfactif est peut-être celui qu'on met le plus souvent au dernier plan. Et pourtant ceux qui ont perdu cette faculté disent parfois avoir perdu le goût à la vie. Odeurs de terre, de mer et de montagne… toutes les odeurs de la vie peuvent venir sur nos assiettes, nous invitant à respirer la vie, la nature. Or respirer, c'est déjà se nourrir ! Ne pas humer ce que nous allons manger, c'est priver son corps d'un plaisir légitime. Humer longuement, c'est étirer les plaisirs de la table, laisser s'épanouir les émotions, tirer parti de tout ce qui est dans son assiette. Certains spécialistes en matière d'amaigrissement recommandent de humer des agrumes pour perdre du poids. Sentir un pamplemousse rose entraînerait des réactions améliorant l'humeur, tout comme la lavande aide au sommeil ou le jasmin à l'éveil. Une Américaine me racontait aussi que, lorsqu'elle attend son mari le soir, même si elle n'a pas encore préparé le repas, elle fait griller des oignons : lorsqu'il franchit le seuil de la porte, il pense qu'elle est à ses fourneaux depuis des heures.

REGARDER

> « La beauté nourrit l'âme. Ce que les aliments sont pour le corps, les images saisissantes, complexes et agréables le sont pour l'âme. »
>
> Thomas MOORE, *Le Soin de l'âme*

Dans une étude sur les émotions positives, quatre chercheurs américains, Jeannette Haviland-Jones, Holy Hale Rosario, Patricia Wilson et Terry R. McGuire[1], ont découvert

---

1. « An environnemental approach to positive emotion : Flowers », *Evolution Psychology*, vol. III, 2005.

que si les fleurs sont appréciées, ce n'est pas tant pour leur valeur symbolique, sociale ou marchande que pour l'effet qu'elles ont sur les émotions de ceux qui les reçoivent ou les contemplent. Les belles fleurs non seulement produiraient des émotions positives immédiates, mais modifieraient durablement nos humeurs et auraient des effets sur les performances de notre mémoire. Bref, elles nous font du bien, tout comme porter leur parfum ou… leurs couleurs.

Que ce soit de la musique, de la poésie, un moment passé à contempler un ciel parme, de beaux légumes, des fruits de mer, c'est tout ce que nous mettons dans notre corps, notre esprit et notre cœur qui nous nourrit. La nourriture se dévore des yeux autant qu'elle se déguste. L'esthétique est AUSSI une nourriture.

2

N'ACCEPTER QU'UN GOÛT PARFAIT

MOINS ON MANGE,
PLUS ON APPRÉCIE CE QUE L'ON MANGE

> « Mes goûts sont simples : je me contente
> de ce qu'il y a de meilleur. »
> Oscar WILDE

Si l'on a trop de nourriture pour être heureux, c'est exactement le contraire qui se produit. Nous sortons rarement satisfaits d'un buffet froid ou d'un cocktail. Ayant eu les yeux plus gros que le ventre, nous nous sommes gavés et nous nous sentons alors à la fois lourds et coupables. Par contre, ne s'autoriser que du saumon fumé, quelques feuilles de salade et un bon verre de vin blanc apporte tout le plaisir qui a été, justement, dans la retenue. Je me souviens d'un banquet de mariage où je n'ai mangé que du foie gras – que les Japonais n'aiment pas en général et délaissent – et bu du champagne. Je garderai toujours un souvenir de ce choix qui ne m'a pas fait prendre un gramme le lendemain matin, et qui m'a évité la crise de foie…

Anticipez le plaisir de manger : plus vous attendrez de vous mettre à table, moins vous mangerez. Et faites de chaque repas une célébration. Contentez-vous avec le plus grand délice de ce qui est véritablement nécessaire à votre bien-être. Plus que la nourriture, appréciez votre sagesse, votre retenue, votre détachement. Une fois que vous aurez compris qu'il n'y a rien de plus simple, vous vous étonnerez de ne pas l'avoir compris plus tôt. Lorsque votre estomac aura repris sa taille normale, il ne criera plus famine et vous pourrez enfin vous contenter de peu et obtenir, en plus du plaisir de manger, celui de vous savoir frugal. Cette frugalité s'étendra même à toutes sortes d'autres domaines de votre vie. Cette frugalité deviendra… volupté !

DÉCOUVRIR CE QUE L'ON AIME VRAIMENT POUR SE PASSER DU RESTE

> « Quelle est la Voie ? demande le disciple.
> — La perception aiguë de l'évidence des choses, dit le maître. »
>
> Henri BRUNEL, *Contes zen*

Même une cuisine dite « pauvre » peut atteindre les sommets du raffinement. Les aliments naturels rassasient beaucoup plus que ceux bourrés d'arômes artificiels ou de graisses. Mais, pour beaucoup, qui dit aliments naturels dit morosité et ennui. Un poisson grillé avec un peu de jus de citron et quelques amandes pilées est pourtant un régal pour celui qui prend le temps de le déguster. Il existe beaucoup de mets simples et sains que nous apprécions sans le savoir, parce que nous n'y avons jamais vraiment prêté attention. En faire la liste est très important. Noter ses mets préférés et décider de ne consommer que ceux-là aide à changer sa façon de se nourrir. Il est aussi important de noter les moments et les lieux où nous aimons les déguster. Nous oublions trop souvent le plaisir d'un yaourt aux pêches fraîches un matin d'été ou celui d'un porridge brûlant l'hiver. Si nous nous nourrissons au petit bonheur la chance selon nos humeurs ou notre fatigue, nous ne choisissons pas. Nous nous gavons pour assouvir notre faim, tout simplement, mais nous n'en retirons que déception et dégoût de soi. Ce qui incite à encore plus se gaver pour oublier ce sentiment.

PRENDRE LE TEMPS DE MANGER, BOUCHÉE PAR BOUCHÉE

> « Parmi les plaisirs, les plus rares sont les plus vifs. »
>
> DÉMOCRITE, *Fragments*

Comme un beau fruit appétissant, faites de votre corps le temple de la nature. Prenez le temps de le laisser humer, regarder, déguster, de puiser dans la nourriture ce qu'elle a de meilleur. Ce n'est pas ce que l'on mange, mais notre manière de le faire qui apporte du plaisir. Les repas bâclés, pris dans la hâte, le bruit ou un environnement peu accueillant n'apportent que confusion dans le corps et l'esprit. Or la santé et le bien-être reposent sur les plaisirs des sens. C'est parce que nous n'avons pas conscience de nous faire plaisir en savourant la nourriture que nous en abusons.

D'abord, entraînez-vous à ne prendre qu'une toute petite bouchée et reposez vos couverts. Mastiquez aussi longtemps que possible pour découvrir les différents goûts qui se dégagent au cours de cette étape. À quoi bon vous presser, puisque le plaisir de manger ne dure que cet instant ? Une fois que la nourriture n'est plus au contact de vos papilles gustatives, elle n'est qu'un souvenir ; alors autant faire durer le plaisir un maximum ! Essayez de déterminer le mou, le croquant, le fondant, le doux, l'amer, les arrière-goûts… Concentrez-vous sur un seul aliment, puis sur la combinaison de deux. Se complètent-ils ? Se détruisent-ils ?

Un plat raffiné, au Japon, ne contient jamais plus de deux ou trois ingrédients, même pour une soupe. Il est donc recommandé de ne pas mettre trop d'ingrédients différents dans son assiette ou dans sa bouche. Savourer véritablement un grain de raisin ou l'intérieur de la tête d'une crevette s'apprend. Combien de fois mastiquez-vous une bouchée ? Souvenez-vous que plus vous mastiquez, plus vous êtes en mesure d'apprécier à sa juste valeur ce que vous mangez. Et moins vous avez besoin de vous gaver. Cherchez la perfection dans la mesure, la modération, la réserve. C'est là que vous la trouverez.

NOURRITURE ET ÉMOTIONS

> « Lorsque l'on dépasse la mesure, le plus grand plaisir devient le plus grand déplaisir ! »
>
> SÉNÈQUE, *De la tranquillité de l'âme*

Manger, ce n'est pas seulement consommer de la nourriture, c'est aussi ressentir des émotions. Autrement dit, la cuisine ne s'explique pas, elle se ressent. Tant d'émotions sont associées aux goûts, aux parfums ! Ce sont bien souvent les émotions qui nous nourrissent, nous rassasient ou, au contraire, nous laissent sur notre faim. Nous ne sommes pas de simples machines thermodynamiques ingurgitant des calories, mais des êtres pensants et émotionnels qui, en principe, ont des sens. Il est donc naturel de choisir des aliments qui nous procurent des émotions positives, car ce sont celles-ci qui nous rassasient. Pensez à ce que vous ressentez au moment précis où vous dégustez quelque chose. Qu'est-ce que cela vous rappelle, vous inspire, vous évoque ? L'humain ne possède rien, si ce n'est l'usage de son corps et celui-ci peut lui procurer beaucoup de plaisir. Il est facile d'améliorer la qualité de sa vie simplement en éduquant ses sens. Avec un corps trop peu entraîné, un œil insensible, une oreille non musicale, un palais grossier et des sens sous-développés, la vie a moins de piquant, elle est morne et triste. Vivez votre repas comme un moment important. Ne l'expédiez pas. On dit qu'il faut mâcher trente fois pour vivre longtemps : des souvenirs plaisants reviennent alors au contact de mets particuliers. Ceux-ci raviveraient certains nerfs du cerveau, qui, sans cela, mourraient. Les gérontologues savent maintenant de manière scientifique que le plus important, pour vivre bien et longtemps, c'est d'avoir des plaisirs. Pour vous entraîner à déguster, essayez les sushis. Le sushi, ce mets servi sous forme de bouchées individuelles, comporte au moins trente variétés qui changent selon les saisons : poissons gras, coquillages, anguilles… La palette des couleurs est infinie : les différents rouges du thon, le rose des crevettes ou de la daurade, les bleus du maquereau ou de la sardine, le blanc pur comme neige de la seiche, le vert du concombre… Chairs lisses ou rugueuses, fibreuses ou molles, même le sens de la découpe de chaque morceau, son épaisseur font varier les sensations. Et puis il y a le riz, aussi varié que le sont nos pains occidentaux. Le savant équilibre entre sa douceur et l'acidité du vinaigre, le sel et le raifort, le goût si japonais de la sauce de soja revient au savoir-faire du chef.

L'ÉLOGE DE LA FADEUR

> « Le sage savoure la non-saveur. »
>
> LAO-TSEU

Les habitudes étant une seconde nature, tout ce à quoi nous nous habituons perd de son charme. Il en va ainsi pour les plaisirs de la trop bonne nourriture. Dans un repas, il faut généralement manger salé et sucré pour combler sa faim – le salé donne envie de sucré, et le sucré donne envie de salé. Mais s'habituer à manger le plus « fade » possible fait que l'on a moins d'envies et qu'on apprécie davantage chaque goût. Moins on « habille » un légume, un excellent poisson, une excellente grillade, plus on découvre de subtiles saveurs. En fait, chaque variété de pomme, de poire, chaque légume a un goût différent. En n'ajoutant ni sel ni épices, vous découvrirez peu à peu des saveurs plus subtiles ; vous commencerez aussi à perdre le goût pour certains aliments et à en découvrir pour d'autres ; vous retrouverez ainsi l'instinct naturel de choisir de manger à la fois ce qui convient à votre goût et à votre bien-être physique. De nouvelles affinités électives dues à la transformation de vos goûts se créeront en vous. Le pain complet vous apportera plus de plaisir que du pain blanc, un poisson de mer plus qu'un poisson d'élevage. Les aliments ne peuvent être appréciés que si les sens, commandés par le cerveau, les recherchent. C'est pour ce plaisir « caché » que les Japonais servent une cuisine qui, de prime abord, peut sembler fade. Quelques gouttes de sauce de soja et une pointe de wasabi sur des nouilles de sarrasin non assaisonnées font ressortir de celles-ci des saveurs inconnues !

Dans la pensée chinoise, la fadeur est la « valeur du neutre ». À la limite de l'effacement, du sensible, elle ouvre de nouvelles sensations ; on réalise alors que les autres saveurs comblent dans l'instant mais qu'elles disparaissent à peine senties. La fadeur, elle, ouvre les goûts un à un. Sa discrétion fait son efficacité. Elle apporte une sorte de paix.

3

APPÉTIT ET ESTHÉTIQUE

DES ALIMENTS APPÉTISSANTS

> « Seuls ceux qui prennent avec légèreté ce que le monde prend au sérieux peuvent prendre au sérieux ce que le monde prend avec légèreté. »

> Zhang CHAO,
> *De l'importance de vivre, Lin Yutang*

Chacun de nos aliments devrait être disposé tel un exquis joyau sur une assiette, une feuille de laitue, une écorce de citron (enlever la ouate intérieure à la cuillère pour en faire le contenant d'une petite salade de crevettes). Pourpre, émeraude, blanc de neige, ovale, ciselé, longiligne, rond… la nature nous offre un tel éventail de couleurs, de formes et de textures ! Quelques tranches de tomate sur un plat bleu turquoise, une soupe de pois chiches dans un petit bol en laque noire, un poivron rouge rehaussant la blancheur d'un morceau de poulet, une cosse de pois nouveaux ouverte sur cinq pois parfaits représentent l'art de la nature dans nos assiettes… Marier la couleur de nos mets à celle de leurs plats, manger beau, bon et sain, fait partie des plus grands plaisirs de la vie. La beauté nourrit autant que les vitamines. C'est pour cela que nous devrions préparer un mets avec autant de soin que les moines tibétains exécutant des peintures de sable qu'ils détruisent dès qu'elles sont terminées. Vivre avec élégance signifie prendre son temps, rester centré, donner la priorité à un nombre restreint de choses afin de ne pas encombrer son esprit et sa vie. Amusez-vous à servir des châtaignes coupées en deux pour les déguster avec une cuillère à moka, un melon découpé sous forme de petites boules sur un bloc de glace dans lequel sont incluses quelques feuilles de verdure (utiliser pour cela un pack d'un demi-litre de lait vide pour faire le bloc de glace), une boîte de sardines ouvertes et passées au four avec un peu de chapelure et quelques gouttes de citron. Jouez, utilisez l'inspiration du moment et non les livres de cuisine. Losanjin, cuisinier japonais de génie du début du siècle dernier, a beaucoup apporté à l'art japonais : il était aussi génial en tant que potier que comme chef en cuisine renommé. Il créait, pour chacune de ses préparations culinaires, la poterie la plus seyante. Les Japonais considèrent que la grandeur d'un repas tient à cinquante pour cent dans sa présentation et à cinquante pour cent dans son goût.

Le simple est beau. Le beau est pur. Le pur est délesté de toute pesanteur. Si les sushis ont remporté un tel succès mondial, c'est qu'ils sont à la fois beaux, excellents, diététiques et faciles à consommer. Ils sont, en un mot, d'une merveilleuse simplicité.

LA TABLE OU LE PLATEAU :
COMMENT POÉTISER LES DÉTAILS DU QUOTIDIEN

> « Quand la demeure est étroite, la bourse limitée, la table modeste, une femme qui a le don trouve un moyen de mettre de l'ordre, de faire tenir les choses dans la maison et d'y faire régner les choses

convenablement ; elle met du soin et de l'art dans tout ce qu'elle entreprend. Faire bien ce que l'on a à faire n'est pas à ses yeux le privilège des riches, mais le droit de tous. C'est son but, et elle montre comment donner à son logis la dignité et le charme des demeures de princes, et si tout était laissé à des mercenaires, ceux-ci ne pourraient pas le posséder. »

Charles WAGNER, *La Vie simple*

Chaque repas pensé, préparé et servi est acte de création. Le petit cérémonial d'une ou deux violettes dans un vase, une bougie à côté du verre et un set de table assorti demandent bien peu d'efforts en échange du plaisir et de la satisfaction qu'ils procurent pendant plusieurs heures. Tout devrait être délicat dans ce qui touche à la nourriture – même lorsqu'on prend une seule tasse de café le matin. L'esthétique en général et dans chaque détail du quotidien exerce des pouvoirs magiques sur notre moral, notre psychisme, notre bonheur. Il n'est pas nécessaire d'avoir beaucoup de moyens, mais d'utiliser ce que l'on possède avec style, élégance et goût. Tout, dans notre environnement pourrait être plus beau : nos rues, nos maisons, nos brosses à cheveux. Si les gens étaient davantage entourés de beauté, ils ressentiraient moins le besoin de consommer, de détruire, de gagner de l'argent à tout prix. Face à un coucher de soleil merveilleux, a-t-on besoin d'autre chose ? Ce qui est beau est bon pour l'âme. Il la fait grandir ; même un vieil ustensile de cuisine, lorsqu'il est aimé, peut évoquer, malgré son humilité, une charge spirituelle remarquable. Une planche à découper en bois tailladée, tachée, aux bords irréguliers peut symboliser le bonheur de toute une vie.

CE QUE NOUS MANGEONS
ET COMMENT NOUS LE MANGEONS
SE RÉPERCUTENT SUR NOS VIES

> « La cuisine japonaise, a-t-on pu dire, n'est pas quelque chose qui se mange mais qui se regarde, dans un cas comme celui-là, je serais tenté de dire qu'elle se médite ! Tel est, en effet, le résultat de la silencieuse harmonie entre la lueur des chandelles clignotant dans l'ombre et le reflet des laques. »
>
> Junichiro TANIZAKI, *Éloge de l'ombre*

Une alimentation correcte et prise dans des conditions adéquates va de pair avec un corps et un esprit sains. Tout ce qui touche à nos sens se répercute sur nos vies. Se nourrir correctement n'est donc pas seulement une question d'alimentation saine. Il faut avoir l'envie de vivre, d'être heureux. Pour que la nourriture soit correctement assimilée par le corps, elle doit être prise lentement, et dans un environnement agréable.

L'intensité des lumières dans les lieux où l'on mange affecte, par exemple, notre santé et nos humeurs. Certaines lumières accentuent le calme, d'autres rendent nerveux, agressif... Si manger au clair de lune n'est pas dans nos habitudes – ce le fut pour les Japonais, dans l'ancien temps, à l'occasion de certaines fêtes de pleine lune –, la finalité de telles pratiques n'est pas seulement un « plaisir esthétique » : elle est de donner à vivre... Manger beau, c'est donc manger bon. Le sommet de cette recherche visuelle pourrait atteindre son paroxysme dans le frugal repas japonais traditionnel :

chaque mets constitue d'abord un enchantement pour les yeux, à l'égal d'une œuvre d'art.

DES NOURRITURES FACILES À MANGER ÉLÉGAMMENT

> « Ce sont les enfants et les oiseaux qu'il faut interroger sur le goût des cerises et des fraises. »
>
> GOETHE

Même pour ses ratatouilles, une de mes amies coupe tous ses ingrédients en menus morceaux avant de les cuisiner. En plus du fait que cela demande moins de temps de cuisson et conserve donc mieux les vitamines, elle dit qu'elle cuisine ainsi parce qu'elle aime manger facilement. Présenter du jambon en petits tas faciles à prendre, et non en grandes tranches plates, ou des morceaux de viande prédécoupés à la taille de petites bouchées sont une forme de politesse et de prévenance, même à l'attention de soi-même. Comment manger avec lenteur et élégance lorsqu'on doit tenter de plier des feuilles de laitue entières avec sa fourchette au risque d'avoir le contour de la bouche barbouillé de vinaigrette ? Si tout se mangeait facilement et proprement, aurions-nous besoin de serviettes de table ? Une fois de plus, quel plaisir extrême de mettre dans sa bouche, voluptueusement, une bouchée parfaite, une cuillerée velouteuse sans avoir à se battre avec des arêtes, un bout d'os, des miettes...

UN REPAS DE MOUSSES

Une des dernières choses qu'il peut rester dans la vie est le plaisir de manger. Lorsqu'on est immobilisé sur un lit d'hôpital, quelle dernière envie reste-t-il, si ce n'est la nourriture ? Mais il est possible qu'on ne puisse même plus coordonner ses mouvements, mâcher ou déglutir. L'envie de vivre s'éloigne alors, peu à peu. Pour essayer de garder leurs patients le plus longtemps possible autonomes et pour soulager leurs douleurs, un hôpital japonais a trouvé la solution : de vrais repas, avec le goût de vrais aliments magnifiquement servis sous forme de mousses dans de très jolis petits ramequins individuels. Tous les aliments qu'un Japonais aime se retrouvent dans ces mousses. Même le fameux *takuan*, radis noir en saumure très croquant. Une mousse de riz sur laquelle repose une mousse de takuan donne au patient l'impression de pouvoir faire un vrai repas, et de retrouver ce qu'il mangeait chez lui, ou dans son enfance. Ces goûts réveillent en lui des souvenirs, des plaisirs.

Avant de faire hospitaliser l'un des leurs, les familles ont droit à une visite guidée de l'hôpital, et aussi à… une dégustation ! Quelle merveilleuse idée pour toutes ces personnes qui ne peuvent prendre que des aliments ni vraiment « liquides » ni vraiment solides ! Une moulinette, un mixer, un peu de gélatine (l'agar agar, produit diététique par excellence), des blancs d'œufs (protéine ultrapure et nourrissante), un peu d'imagination… et beaucoup de plaisir. Une mousse de saumon, une mousse d'épinards, une de fruits… cela ferait envie à n'importe qui, même parfaitement bien portant ! Cet hôpital, décoré de tableaux sur tous ses murs, a même créé une cafétéria avec vue sur un parc. On y mène les patients, sur leur lit, et ils peuvent y prendre leur café « mousse », leur thé vert « mousse » ou leur chocolat « mousse » : ils ont alors l'impression d'être sortis des murs de l'hôpital et sont très heureux.

4

CONVIVIALITÉ ET REPAS PRIS EN COMMUN

LES SACRO-SAINTS REPAS DE FAMILLE

Partager un repas avec d'autres constitue un processus socialisé de communication et provient, bien souvent, de coutumes tyranniques d'un savoir-faire traditionnel. Certes, si la bonne nourriture est aussi importante que le sommeil ou les amis sincères, le « savoir-manger » devrait être un « savoir-vivre » et aussi un « savoir-jouir ». Mais qu'en est-il des sacro-saints repas de famille ou des « bonnes bouffes » entre copains ? Si l'on mange maintenant moins qu'autrefois, faire de bons repas copieux reste encore très ancré dans les habitudes.

Mais qu'est-ce que le véritable savoir-vivre ? Faire honneur à ses invités, ne serait-ce pas leur offrir des mets délicats et raffinés, et les laisser consommer sans les forcer, ce qu'ils font généralement pour ne pas enfreindre les règles de la prétendue politesse ?

Pourquoi ne pas mettre sur une table autour de laquelle tous sont assis des petits mets de toutes sortes et proposer à chacun de se servir à sa guise ? Une atmosphère chaleureuse, une conversation agréable sont ce à quoi chacun aspire vraiment. Nous arrivons, heureusement, à la fin d'une génération hyperformaliste. Espérons que ce type de repas se fera plus fréquent.

NE PAS FINIR À TOUT PRIX SON ASSIETTE

> « Convier quelqu'un, c'est se charger de son bonheur pendant tout le temps qu'il est sous notre toit. »

BRILLAT-SAVARIN

Si l'on remplit pour vous votre assiette, vous pouvez ne pas la vider. Cette fâcheuse habitude devrait cesser. La morale nous a enseigné que laisser de la nourriture dans son assiette était un péché, du gâchis. Mais elle nous a aussi enseigné que trop manger était un péché, et autrement plus grave : la gourmandise ne fait-elle pas partie des sept péchés capitaux ? Vous n'êtes pas obligé de manger tout ce que vous sert votre hôte. Ni de vous justifier pour refuser. Vous n'avez pas à essayer en permanence de complaire à autrui. Manger devrait toujours dépendre de critères internes, en fonction de votre appétit et de vos besoins à un moment donné. N'hésitez pas à abandonner sans scrupule de la nourriture si on vous sert d'office, et à arrêter de manger dès que vous ne prenez plus de plaisir. Une amie néo-zélandaise m'expliquait que sa mère l'avait élevée en lui apprenant à sortir de table en ayant encore un peu faim. Il était obligatoire, dans sa famille, de laisser de la nourriture dans son assiette à la fin du repas et interdit de saucer avec du pain. Même les sucreries étaient réglementées : un seul bonbon autorisé par semaine. Michaela a effectué une carrière de mannequin et, même maintenant, elle a des idées bien arrêtées en ce qui concerne la convivialité et les repas.

La véritable convivialité, c'est l'art de s'occuper de ses hôtes, de prêter attention à leur confort et à leur plaisir dans les moindres détails et surtout de leur faire sentir la joie d'être avec eux. Bien recevoir n'implique pas la prodigalité ou des plats abondants. Deux sortes de fromages choisis à point et un seul vin mais de premier ordre laisseront probablement un souvenir inoubliable.

LES APÉRITIFS DÎNATOIRES

> « Un petit jardin, des figues, du fromage et, avec cela, trois ou quatre bons amis – ce fut là l'opulence d'Épicure. »
>
> NIETZSCHE, *Le Voyageur*

Voici mon premier apéritif dînatoire parisien, servi par Stéphane, un ami ; un dîner que je n'oublierai jamais pour sa perfection autant diététique qu'esthétique.

• une petite omelette aux champignons ;

• un avocat en tranches sur une assiette blanche avec quelques tranches de pain Wasa qu'il m'a appris à émietter sur les légumes ;

• deux boules rubis de betterave rouge, changeant agréablement des éternels dés traditionnels ;

• un petit saucier avec de la vinaigrette ;

• une petite assiette de fromages avec du cantal et du chèvre au thym, provenant d'un des meilleurs fromagers du quartier ;

• dans un bol, une merveilleuse salade de kumquat, muscat et noix ;

• des verres en cristal de Saint-Louis et de petits couverts à dessert Alessi, très fins et élégants, s'harmonisant par leur taille aux assiettes à dessert anciennes sur lesquelles les plats étaient servis ;

• une nappe blanche en coton ancienne pliée en plusieurs épaisseurs sur un coin de la longue table en bois délavé ;

• tabac à table autorisé et champagne à volonté !
• lumières un peu tamisées ;
• tout cela avec, en fond, Béla Bartók.

Servir des plats salés et simples dans de la vaisselle à dessert, du cristal et du linge de table blanc, le tout accompagné d'une belle musique, de lumières indirectes, c'est très simple. Et tellement festif !

L'IZAKAYA

> « La philosophie est de rendre simples les choses compliquées et difficiles. En dépit de mots comme matérialisme, humanisme, transcendantalisme, pluralisme… la philosophie est un art de vivre et n'est, en fait, que manger, dormir, rencontrer des amis, se quitter, rire, pleurer, soigner son corps, arroser ses plantes et regarder un voisin tomber du toit. »
>
> Lin YUTANG, *De l'importance de vivre*

Un des serveurs du Petit Cluny, boulevard Saint-Germain, m'expliquait que les clients japonais commandent un plat (une omelette par exemple) qu'ils partagent à quatre, puis une assiette de frites-saucisses, qu'ils picorent ensemble ; ils reconstituent leur propre façon de manger : un sens de la convivialité symbolisé par une seule assiette – pas d'individualisme, chacun se devant d'anticiper les désirs de l'autre. Pour eux, l'acte de partager un repas représente beaucoup, mais certainement pas, ou secondairement, l'acte de se sustenter. En un mot, manger avec les autres est la recherche du plaisir d'être ensemble.

Les Japonais ont, pour cela, un système très populaire, un lieu pour se rencontrer, manger ou ne pas manger, boire, et passer autant de temps que l'on souhaite ensemble : l'iza-kaya.

L'izakaya deviendra peut-être un jour, après les sushis, une nouvelle mode en Occident car elle représente le moyen idéal de passer toute une soirée avec ses amis en buvant, mangeant, mais seulement en petites quantités. On peut grignoter dans les izakayas autant ou aussi peu qu'on le désire. On s'y retrouve pour… se retrouver – chacun arrive souvent à l'heure qui lui convient – et partager le plaisir d'être avec ses amis, et non pour déguster des plats destinés à un palais de gourmet. Mais comme on passe plusieurs heures ensemble, et ce en général le soir, on a fatalement un petit creux. On peut donc, en fonction de sa faim ou de ses envies, commander quatre à six petits plats afin de le combler sans pour autant vider sa bourse ou remplir inconfortablement sa panse en cuisine gastronomique.

Je n'ai d'ailleurs jamais compris comment on peut véritablement savourer un excellent repas tout en faisant la conversation à des personnes que l'on ne connaît pas intimement… Mais partager un moment autour de quelques plats simples avec de vrais amis est un authentique bonheur. L'important, une fois de plus, est de prendre du plaisir. Laisser exister et se sustenter ses amis par eux-mêmes, c'est les laisser penser et faire ce qu'ils veulent. C'est ajouter les différences comme une nouvelle texture à l'amitié. Une tartine mangée en joyeuse compagnie profite plus que le savoureux repas pris avec mauvaise humeur, par nécessité ou intérêt professionnel. Pour moi, il n'y a pas de statut social ni de talents culinaires qui vaillent s'il n'y a pas convivialité.

5

LES NOURRITURES INVISIBLES

« L'esprit ne doit jamais céder au corps. »

GOETHE

QUE REPRÉSENTE UN REPAS ?

« La vie elle-même nous force à déterminer des valeurs, la vie elle-même évolue par
notre entremise lorsque nous déterminons
des valeurs. »

NIETZSCHE, Le Crépuscule des idoles

Dans la plupart des sociétés, le repas est une manière d'assumer son rang social. Parler de « haute cuisine » suppose que l'on a eu la chance de pouvoir comparer et juger toutes sortes de mets rares, donc coûteux. Ceux qui sont privés de cette palette de choix se nourrissent toujours des mêmes choses, et ils sont moins difficiles dans leurs goûts. Enfin, il y a ceux qui se nourrissent de très peu en suivant une éthique ; pour eux, la nécessité humaine de nourriture est inextricablement liée non seulement à la physiologie, mais aux destinées spirituelles.

NAIKAN OU LA NOURRITURE
COMME DON DES AUTRES

> « Dénigrer autrui ?
> Je me lave l'esprit
> En écossant mes pois. »
>
> Ozaki HOSAI

Naikan en japonais est une forme de méditation utilisée comme thérapie auprès des délinquants, ou comme pratique spirituelle lors de retraites mystiques. « Naikan » signifie « observation intérieure », et son secret est de créer chez le pratiquant une conscience spéciale à travers l'acte simple de se souvenir des gens importants de sa vie.

Cette pratique a été instaurée par Yoshimoto Ishin, un fervent dévot de la secte Jodo shinshu. Il encourageait l'amour et le sacrifice de soi et insistait sur combien Bouddha utilisait ces vertus pour aider les autres à atteindre la Lumière. L'entraînement Naikan des prêtres consistait, entre autres, en de longues périodes de jeûne, d'auto-privations et de méditation. Cela, afin de mieux réaliser combien la nourriture et autres nécessités de la vie ont de valeur et sont le don d'autres êtres humains.

DIRE DES GRÂCES AVANT LE REPAS

> « Le riz est délicieux
> Et le ciel est bleu
> Si bleu. »
>
> Taneda SANTOKA

Dire les grâces avant un repas, dire avec sincérité « bon appétit » ou joindre les mains en signe de remerciement, c'est prendre conscience de l'abondance dont nous jouissons. Ce geste confère une certaine dignité au repas et permet de marquer une pause par rapport aux activités qui précèdent et à celles qui vont suivre. Le repas prend alors une valeur de reconnaissance pour le temps et l'énergie que d'autres ont dépensés pour nous. C'est là un des éléments importants de l'esthétique de la vie, une manière d'être.

La nourriture engendre des sentiments ambivalents selon les sociétés et les visions du monde. Les systèmes religieux peuvent exiger des jeûnes ou des festins, valoriser les aliments ou les mépriser. Seule la gloutonnerie est condamnée dans toutes les religions. L'homme doit savoir se contrôler. Gandhi, en dépit de la richesse et des saveurs de la cuisine indienne, disait son indifférence face à l'hédonisme des plats : « Il faut prendre la nourriture comme on prend un médicament, c'est-à-dire sans se demander si elle est ou non agréable au goût. Il faut en prendre les quantités nécessaires aux besoins du corps. Ajouter du sel aux aliments pour en accroître ou en modifier la saveur ou pour en faire disparaître l'insipidité est aussi une infraction à la règle » ; le protestantisme, lui aussi, a condamné fêtes et banquets. Même un acte aussi instinctif que celui de manger pour satisfaire sa faim peut être raffiné et élevé jusqu'à prendre un sens culturel et donc éthique.

6

LES NOURRITURES DE L'ÂME

LA PHILOSOPHIE DIÉTÉTIQUE

L a philosophie diététique s'applique à tous les aspects de l'existence : on peut chercher à retirer de la joie de chaque expérience (trajets quotidiens, habitudes vestimentaires, premières pensées au réveil…). Les occasions qui recèlent un potentiel de bonheur sont fort nombreuses. Les Chinois, les maîtres en « alimentation médicinale », pensent que celui qui veut prendre soin de sa santé doit être modéré dans ses goûts, bannir ses inquiétudes, tempérer ses désirs, réfréner ses émotions, prendre soin de sa force vitale, épargner ses paroles, considérer avec légèreté le succès ou l'insuccès, ignorer la tristesse ou les difficultés, éviter les grandes affections et les grandes haines, calmer ses yeux et ses oreilles, et être fidèle à son régime intérieur ; comment peut-il être malade, celui qui ne se fatigue pas l'esprit, ni ne trouble son âme ?

ERMITES ET MYSTIQUES

> « Chaque bouchée est un moyen matériel de conduire la vie à l'esprit, car nous absorbons avec la nourriture ce que l'œil ne peut

> voir, les éléments de la santé, de la force et
> de la tranquillité. »

MULFORD, *A Selection from the Essays of Prentice Mulford*

Pour certains, se nourrir de pain, de tomates et d'eau fraîche peut constituer un véritable festin. D'autres ne peuvent passer une heure sans se demander ce qu'ils vont préparer pour le repas suivant.

Manger est donc plus qu'une fonction corporelle, une fonction appartenant au domaine du sacré. Chez les taoïstes tels que nous les décrivait John Blofeld dans *Yogas, portes de la sagesse*, la première règle alimentaire était de manger frugalement : des aliments de base accompagnés par des plats de légumes cuits avec du jus de haricots et un peu de viande ou de poisson, assaisonnés avec des plantes aromatiques cueillies dans la montagne (champignons, pousses de bambou, châtaignes, baies, noix…). Aucun aliment n'était, pour les disciples, spécialement interdit, mais comme beaucoup de ces sages étaient versés en médecine chinoise traditionnelle, ils connaissaient les éléments nourrissants et ce qu'il vaut mieux éviter de manger. Tous leurs objectifs allaient de pair avec la recherche d'une existence très longue en jouissant d'une santé parfaite et en conservant une vigueur quasi juvénile, cela, afin d'aiguiser leur esprit jusqu'à devenir des « immortels » et abandonner leur corps comme une vieille loque encombrante pour le moment où ils seraient prêts à aller dans des châteaux de jade construits sur les nuages.

Ils évitaient soigneusement tout excès, y compris l'ascétisme.

Il devrait en être de même pour nous face à l'intérêt exagéré que l'on porte à la nourriture aujourd'hui. Cela ne fait que mener à l'anxiété, un mal physique et mental nuisible comme un lent poison.

L'ermite de Tailaoshan

> « Mes pouvoirs surnaturels, mes pouvoirs merveilleux ? C'est puiser de l'eau et porter du bois. »
>
> P'ang YUN (780-811),
> extrait de *Contes zen*, Henri BRUNEL

Un jour de 1989, sur une piste de montagne chinoise, un homme conduit Bill Porter, l'auteur de *La Route céleste*, parti à la recherche des ermites vivant toujours de nos jours à Taïwan, à la cave d'un moine de quatre-vingt-cinq ans. Le moine avait emménagé dans son ermitage en 1939, après avoir rêvé que les esprits de la montagne lui avaient demandé de devenir leur protecteur. Villageois et disciples lui apportaient le peu dont il avait besoin. Il n'était pas descendu de sa montagne pendant cinquante ans et ignorait jusqu'au nom du président Mao que Bill ne cessait de mentionner. Il expliqua à Bill ce dont il avait besoin.

« Pas beaucoup :
Un peu de farine
Un peu d'huile
Du sel
Une fois tous les cinq ans à peu près une nouvelle couverture et quelques vêtements », dit-il.

Peter Matthiessen (né en 1927)

Naturaliste et romancier américain, cofondateur de la *Revue de Paris*, quelquefois pêcheur de profession et capitaine de bateaux charter puis ordonné prêtre zen bouddhiste, Peter Matthiessen, lorsqu'il eut fait le deuil de sa femme, se mit en route pour un trekking de deux cent cinquante miles dans le haut Himalaya. Il prit la direction de Shey Gompa, un monastère bouddhiste de la secte de Kagyu, perché sur un plateau tibétain en espérant y apercevoir un jour l'élusif léopard des neiges et trouver le maître encore plus élusif dont son âme était à la recherche. Il dit s'être nourri, sur la montagne de Cristal, pendant un mois de trekking de :

saucisses,
crackers,
café.

Puis, ses réserves épuisées, de :

sucre,
chocolat,
fromage en conserve,
beurre de cacahuète,
sardines.

Quand ceci fut presque fini, il fut réduit à :

du riz amer,
de la farine épaisse,
des lentilles,
des oignons,
quelques pommes de terre, sans beurre.

Mais il était, disait-il, le bénéficiaire de bienfaits quotidiens :

le murmure d'amis le soir,
des feux de bois de plantes odorantes,
une nourriture grossière et sans goût,
faire une chose à la fois.

Raymond Carver (1938-1998)

Poète et écrivain de nouvelles, souvent appelé le Tchekhov de l'Amérique, il était l'ami et compagnon de la poétesse Nancy Gallagher qui rapporte de lui ce qu'il appelait la « loi de Carver » : « Ne pas préserver les choses pour un avenir lointain, mais utiliser au mieux ce qu'il y a en soi chaque jour. » À l'âge de cinquante ans, son docteur lui annonce qu'il va bientôt mourir d'un cancer. Dans l'un de ses derniers poèmes, Carver se demande s'il a obtenu de la vie tout ce qu'il désirait. « Oui, se répond-il, je me suis senti aimé sur terre. » Il continue à écrire et à faire des projets, à espérer. Après sa mort, Gallagher trouve une « liste d'emplettes » dans la poche de sa chemise.

« Des œufs,
Du beurre de cacahuète,
Du chocolat chaud,
L'Australie ?
L'Antarctique ? »

RYKKYU ET LA CUISINE *KAISEKI*

Kaiseki signifie en japonais « pierre chaude » et vient de l'habitude des moines bouddhistes japonais à se placer autrefois des pierres chaudes sur le ventre pour calmer leur faim. Cette pratique, qui devint plus tard un genre de cuisine extrêmement frugal et réservé aux élites, n'était pas faite pour calmer parfaitement la faim mais pour rappeler aux participants le rôle de la nourriture dans leur vie et le simple plaisir de manger.

La vie semble nous écarter de plus en plus de nos aspirations spirituelles. Les soucis, les contraintes, le travail nous plongent excessivement dans le monde matériel. La vie nous paraît alors lourde à porter. Elle l'est effectivement lorsque les obligations prennent le dessus sur nos espoirs, notre idéal, notre soif d'exister. Ce que l'on mange, on le réalise alors, a relativement peu d'importance. Il s'agit avant tout, au cours d'un repas, de donner au corps les « vitamines de l'âme », les matières stimulantes d'une disposition d'esprit joyeuse. Ne comptent-elles pas, finalement, bien plus pour la digestion que les vitamines ?

LA *SHOJIN RYORI*, CUISINE DU CORPS ET DE L'ÂME

Shojin ryori signifie en japonais « cuisine pour l'avancement spirituel et la dévotion ». Elle a pour but de faire progresser spirituellement ses adeptes à travers l'acte de préparer et de consommer les repas.

L'entraînement à ce genre de cuisine exige de la part de celui qui la pratique un sens de l'effort total ainsi qu'un parfait contrôle de soi, deux qualités élémentaires et essentielles dans le bouddhisme zen. Elles impliquent le choix d'aliments de saison, des préparations variées, le respect et le goût des ingrédients, l'économie dans les gestes, l'exactitude et à travers tout cela l'appréciation de la vie en général, la recherche d'encore plus d'harmonie avec le reste du monde et un parfait accord avec soi-même.

C'est un véritable entraînement à la simplicité et à la frugalité (même les épluchures, dans les temples zen, doivent être utilisées), une activité de caractère sacré. Mais c'est aussi faire de l'ordinaire une expérience extraordinaire, ce dont on retire une volupté certaine. Dans la pratique de cet entraînement, couper un navet n'est pas moins important que lire ou méditer. Esthétique, morale, éthique, santé, économie, tout y a trait.

LES PRINCIPES DE LA CUISINE SHOJIN

• La qualité des ingrédients ;
• L'arrangement de la nourriture par couleurs selon les saisons ;
• Le gâchis interdit.

Ces principes ont eu une grande influence sur la cuisine japonaise en général. La nourriture, et tout ce qui s'y rapporte, doit être aussi respectée que notre vie. Cette cuisine est préparée dans le but de purifier le corps et l'esprit. Équilibrer les qualités de l'aliment selon les saisons, inclure dans la préparation de chaque repas les cinq techniques de cuisson – faire bouillir, griller, frire, cuire à la vapeur et mijoter –, servir les cinq couleurs – vert, jaune, rouge, blanc et noir –, les cinq goûts – salé, sucré, acide, amer et épicé –, s'appliquer aux cinq vertus – foi, mémoire, méditation, énergie et sagesse – voilà ce qu'acheter, préparer, cuisiner, servir et manger devraient représenter pour toute personne soucieuse de sa famille et d'elle-même, et cherchant à honorer de son mieux la vie qui lui a été donnée.

Quoique nos vies modernes soient devenues très confortables, explique le zen, nous nous sommes graduellement éloignés de notre environnement naturel et de l'appréciation des saisons. Nous oublions peu à peu la brise soufflant dans la cime des arbres et les doux rayons du soleil. Regarder la verdeur d'un bois, la couleur d'une fleur ou le vol d'un oiseau ne requiert aucune attention spéciale et, pourtant, ce n'est pas perdre son temps : on recouvre ainsi la santé qui est le fondement de tous les autres biens qu'on peut avoir en cette vie. C'est nourrir, en fin de compte, son « équilibre ».

NOURRIR LE SPIRITUEL

> « La chose la plus importante dans la pratique spirituelle est la nourriture : quand vous mangez, comment vous mangez, pourquoi vous mangez. »
>
> *Un maître bouddhiste*

Contrairement à ce que l'on pense, nourrir sa forme physique ne suffit pas à maintenir sa vitalité. Ce n'est pas tant

159

son corps qu'il faut nourrir, mais son énergie, son dynamisme intérieur. La maladie est un étiolement de l'énergie. C'est souvent la peur de tomber malade qui crée une obstruction intérieure. On ne peut obtenir du jour au lendemain l'accès à la sérénité, dont dépendent santé et longévité. Le stress, mot récent, exprimant, sous l'excès de l'excitation, ce qui trouble et désorganise notre vitalité, est exactement le contraire de « nourrir sa vie ». La nourriture (plus largement le régime) devrait avoir pour but de se concentrer en premier sur sa capacité à déployer et à conserver son potentiel vital. Pour cela, il ne faut plus s'embarrasser du monde entier, des choses, des soucis. Il faut devenir d'une indépendance absolue où le tumulte fait place à la placidité. Car c'est la placidité qui préserve et « nourrit » la vie.

7

LES NOURRITURES DU KI

NE PAS RECHERCHER À TOUT PRIX LE BONHEUR

> « Le début de la sagesse est de résorber tout écart entre bonheur et malheur pour les fondre dans une globalité et une mouvance uniques. »
>
> ZHUANGZI

La quête du bonheur est une dépense d'énergie, car qui dit quête dit chercher à posséder quelque chose, en l'occurrence le bonheur. Et qui dit bonheur sous-entend malheur. Se nourrir est donc un processus d'affinement, une transformation qui se développe à l'écart de la quête et du désir de « posséder » (pas seulement dans le domaine matériel). Mais la civilisation travaille à l'encontre de la satisfaction que procure la paix. Vouloir à tout prix le bonheur nécessite la continuité d'une quête, qui, toujours poussée plus loin, devient inaccessible. Pour obtenir cette sérénité, ce qu'il faut, c'est ne pas avoir de but, mais rester toujours aussi léger et alerte que possible, éviter torpeur et fixité, et surtout nourrir son équilibre (yin et yang) en évitant les pressions diverses. Or toujours se demander « pourquoi », chercher un sens à la vie, à son aboutissement, est considéré par les Orientaux comme une perte d'énergie.

Rechercher la santé pour préserver son ki

> « Certains ermites… il leur arrive de manger une fois par jour, ou bien une fois tous les trois jours, ou même une fois par semaine. Tant qu'ils peuvent nourrir leur énergie intérieure, ils se portent bien et n'ont pas besoin de s'alimenter. Ils peuvent méditer un jour, deux jours, une semaine, voire plusieurs semaines. »
>
> Bill PORTER, *La Route céleste*

Le ki (souffle, énergie) est représenté en graphies anciennes chinoises par la vapeur surmontant le riz et évoquant sa nature nourricière. L'activité de tout être vivant (plantes, animaux, hommes) est de se nourrir. Celle qui distingue l'homme est de laisser de côté l'aspect nutritionnel pour penser et obtenir la connaissance.

Profitez des énergies de la nature, des arts, de l'amour, pour fortifier votre corps, votre esprit et votre cœur. Observez la nature, elle est riche d'enseignement et de beauté : elle vous aidera. Se nourrir n'est pas seulement une expérience vitale, celle d'entretenir notre corps, mais c'est aussi développer, affiner son esprit. La vocation de notre être est notre seule responsabilité. Elle est dans le soin que nous prenons à entretenir et à déployer ce potentiel de vie dont nous sommes investis et à le porter à son plein régime. Restaurez vos forces au fur et à mesure que vous les dépensez, avivez vos capacités, aiguisez vos sens en épurant votre être physique de toutes ses lourdeurs et ses toxines. Délestez-vous de tout « dehors » entravant votre déperdition énergétique, accaparant votre vie et la dissipant. Vous pourrez alors conserver votre plein de vitalité et… ne plus vieillir. Donnez la priorité au non-épuisement en vous détendant, en avivant la vie et en la renouvelant. C'est en parvenant à un état où l'on devient indépendant de tout, même du passé et du futur que l'on parvient à remplacer le tumulte par la placidité. Or c'est cette dernière qui nourrit la vie. Il faut non seulement nourrir sa vie organique, mais sa vie sensitive et spirituelle pour s'épanouir ; accéder à un degré plus élevé de sa conscience, s'animer et s'affranchir des torpeurs de l'esprit ainsi que de la bêtise.

Conclusion

« Le divin est ce qui contribue à nourrir
l'âme. »

PLATON

En mangeant moins mais mieux votre vision du monde
et de ce qui vous entoure se métamorphosera en une conscience plus pointue, des actes plus mesurés et justes, un respect de la nature, des autres et de vous-même plus grand.

Nous devrions mettre à profit la nourriture pour des fins
visant d'abord à une meilleure santé physique et morale, à
une plus grande joie et une plus grande légèreté de vivre, et
radier à tout jamais ce qui, jusqu'alors et pour beaucoup
d'entre nous, était synonyme de privations, régimes, calories, embonpoint, maladies, comportements compulsifs,
stress ou manque d'unité intérieure. En mangeant moins et
mieux, ce sont au final surtout des « vitamines de l'âme »
dont vous vous nourrirez.

Voici le premier livre de cuisine de tous les temps.

Il date de 1330 et fut écrit par un médecin de la cour
mongole.

« Celui qui veut prendre soin de sa santé doit être modéré
dans ses goûts, bannir les inquiétudes, tempérer ses désirs, réfréner ses émotions, prendre bien soin de sa force vitale, épargner

ses paroles, considérer avec légèreté le succès ou l'insuccès, ignorer la tristesse ou les difficultés, éloigner les ambitions insensées, éviter les grandes affections et les grandes haines, calmer ses yeux et ses oreilles et être fidèle à son régime intérieur. Comment peut-il être malade, celui qui ne fatigue pas son esprit, ni ne trouble son âme ? C'est pourquoi celui qui veut nourrir sa nature doit manger quand il a faim et ne pas se remplir de nourriture, il ne doit boire que quand il a soif et ne pas se remplir de trop de boisson. Il doit manger peu et à de longs intervalles, pas trop et pas trop constamment. Il doit tendre à avoir un peu faim quand il a fini de manger et à manger un peu quand il a faim. Avoir son content gêne les poumons, et avoir faim nuit à l'énergie vitale. »

Sun SIMIAO, Lin YUTANG, L'Importance de vivre

LISTE DE LISTES, NON À L'USAGE DES GASTRONOMES MAIS À CELUI DES ADEPTES DE... LA SEMI-CUISINE

Voici, comme je les aime, une liste de listes : des listes qui me facilitent la vie et que j'aimerais offrir à tous ceux que je vois utiliser, pour une simple soupe aux légumes, une énorme cocotte-minute, un blender et assiette creuse. Car pour cuisiner pour soi ou pour deux, une petite batterie de cuisine d'ustensiles de grande qualité mais compacts, multi-fonctionnels et performants tombe sous le sens. Trop de personnes, par ignorance ou désintérêt, ne cuisinent pas de façon simple, pratique et économique. Voici donc :

• la liste des ingrédients « de base » et des produits frais de la semi-cuisine qui permettent de réaliser TOUTES LES RECETTES INDIQUÉES ;

• la liste des quantités à consommer pour une personne par type d'aliment (à multiplier par le nombre de convives) ;

• la liste des ustensiles de cuisine et la vaisselle nécessaires pour ces recettes ;

• quelques techniques de base pour cuisiner simple.

LISTE DE COURSES DES INGRÉDIENTS « DE BASE » ET DES PRODUITS FRAIS DE LA SEMI-CUISINE PERMETTANT DE RÉALISER TOUTES LES RECETTES INDIQUÉES

COURSES AU SUPERMARCHÉ OU DANS UN MAGASIN BIO

Si vous ne faites qu'une fois par mois une provision des produits qui se conservent – condiments, lait, eau, vin… –, pensez à regrouper vos achats afin de vous faire livrer, puisque c'est gratuit à partir de cent euros. Cela donne l'impression de vivre… la vie de château !

CONDIMENTS ET AUTRES ASSAISONNEMENTS
Huile d'olive : elle est aussi bonne en salade que cuite
Huile de sésame (une toute petite bouteille)
Vinaigre balsamique
Vinaigre blanc (une toute petite bouteille)
Moutarde
Poivre
Sel
Sucre ou miel
Bouillon cube en poudre (bœuf et poisson)
Gingembre en tube et frais
Miso (en tube, en bocal, rouge ou blanc…)
Quelques épices (colombo, curry, thym, laurier, 5 épices, ail en poudre ou aïoli, piment en poudre et en pâte)
Cornichons
Mayonnaise

Fines herbes séchées ou fraîches
Sésame en pâte
Sésame en graines (le sésame est un des aliments les plus riches pour la santé. Les Chinois le considèrent comme un élixir de vie !)
Pignons de pin
Oister sauce
Une bombe de crème Chantilly (seul petit écart aux sacro-saintes règles de la diététique. Mais si glamour !)

ALIMENTS DE BASE
Pâtes
Riz
Pain grillé (type Wasa, biscottes bio, etc.)
Farine
Cheveux d'ange Maïzena (ou, mieux, vrai *kuzu* japonais, élixir de santé)
Quinoa
Légumes secs (lentilles, haricots secs)
Un ou deux paquets de soupes chinoises instantanées (*lamen*)
Pruneaux et noix

CONSERVES ET AUTRES
Tomates en boîte
Thon en boîte
Champignons de Paris en boîte
Champignons séchés (morilles, *shiitake*...)
Sardines
Maïs
Sauce tomate en tube
Pâté en boîte
Pruneaux ou abricots secs
Boissons

Vin
Thé
Tisane
Café
Eau
Un alcool fort (whisky ou rhum pour un grog, par exemple)

COURSES AU MARCHÉ,
UNE OU DEUX FOIS PAR SEMAINE

PRODUITS DU SOL
Pommes de terre
Oignons
Échalotes
Ail (facultatif)
Citron
Fines herbes (trois ou quatre variétés au moins, comme ciboulette, coriandre, aneth, persil...)
Trois légumes (un rouge, un jaune, un vert)
Une ou deux variétés de fruits

PROTÉINES
Poisson ou viande
Œufs
Lait
Beurre
Crème fraîche en pack
Parmesan en bloc (à râper soi-même à la mandoline)
Un ou deux fromages qui se conservent (chèvre et bleu)
Fromage blanc
Bacon (en bloc ou en tranches)
Jambon (en bloc pour les salades)

Pain

LISTE DES QUANTITÉS À CONSOMMER POUR UNE PERSONNE PAR TYPE D'ALIMENT ET POUR UN SEUL METS

(À MULTIPLIER PAR LE NOMBRE DE CONVIVES)

Bien sûr, l'appétit de chacun varie, et ces mesures sont pour un appétit moyen. Elles peuvent cependant vous guider afin de ne pas acheter en trop grandes quantités et de planifier vos besoins pour une semaine. Estimer au plus juste la quantité nécessaire à l'alimentation évite le gaspillage, cet ennemi de l'économie. Trop ou trop peu sont deux écueils.

Viande et poisson : entre 125 et 150 g (prendre en compte l'importance des déchets comme les os, le gras et compter 50 g de plus)

Coquilles Saint-Jacques : 2

Moules : 300 g

Écrevisses : 2

Asperges : 6

Petits pois : 200 g (dont 100 g de cosses !)

Haricots verts, brocolis, choux de Bruxelles, épinards… : 100 g.

Haricots secs : 50 g

Lentilles : 80 g

Pâtes, nouilles… : 45 g avant cuisson, soit pour une poignée de spaghettis ce qui peut rentrer entre le pouce et l'index, et, pour les nouilles, 1/2 tasse ; ou 60 g de pâtes fraîches

Riz : 35 g (1/4 de tasse, avant cuisson)

Liste des ustensiles de cuisine
et de la vaisselle nécessaires à ces recettes

Ustensiles de cuisine et vaisselle

Cette liste suffit à cuisiner pour une ou deux personnes (et même pour plus de convives si vous cuisinez beaucoup de petits plats).

<u>Pour la préparation des mets</u>
Une planche à découper
Un couteau bien aiguisé
Une tasse à mesurer de 200 ml (ou un verre à moutarde, mais toujours le même ! Une tasse en Inox graduée est idéale et sert aussi à faire une petite sauce, à battre un œuf, à diluer un peu de farine... C'est l'objet que l'on devrait toujours avoir sous la main.)
Une paire de baguettes à cuisiner et une fourchette
Trois bols mélangeurs légers de 400, 600, 800 cl (Inox, plastique, aluminium, verre)
Un saladier en Inox de 2 l mais poids plume (pour laver les feuilles de légumes, faire tremper les petits torchons...)
Une petite passoire (utile aussi pour faire décongeler, refroidir les aliments)
Une râpe à quatre faces
Une petite moulinette pour compotes, sauces, purées
Une spatule/cuillère en bois
Du papier absorbant
Six petits torchons (32 × 32 cm) en gaze

Un couteau recourbé pour agrumes, melon… (Il épouse la courbe des fruits comme un gant et occupe si peu d'espace !)

Une paire de ciseaux de cuisine pour couper les fines herbes, le vert des poireaux, les nageoires de poisson, de petits morceaux de viande…

Un moulin à sel et à poivre : vous savez alors exactement quelle quantité vous utilisez, ce qui permet d'éviter les excès…

Un tire-bouchon de sommelier (qui peut servir aussi à ouvrir les boîtes de conserve).

LES **5 MUSTS** POUR LA CUISSON DES ALIMENTS

Un faitout (comme son nom l'indique) à fond épais et couvercle (j'utilise celui de la marque Cromargan, stainless steal, 18 × 10 cm)

Une cocotte ovale (mon « bébé », la petite Staub ovale noire n° 1)

Une poêle avec son couvercle lourd et hermétique (idéalement en verre), diamètre 20 cm, rebords droits de 5 cm (elle va aussi au four !)

Une petite casserole à bec verseur avec couvercle (16 cm de diamètre et 6 cm de hauteur)

Un panier en bambou tenant dans le faitout ou un complément de faitout spécial vapeur s'encastrant parfaitement sur votre faitout (la marque Cristel en fabrique d'excellents).

POUR LA CONSERVATION DES ALIMENTS

Papier d'aluminium (épais et de qualité)

Papier cellophane

Papier journal (pour certains légumes)

Bocaux en verre (farines, graines)

Un petit panier en osier dans lequel rassembler épices et condiments

Quelques boîtes en plastique hermétiques.

<u>Pour manger</u>
Un plateau rectangulaire
Une grande assiette (pour l'assiette unique, un repas complet, ou une galette des rois…)
Un *domburi* (gros bol en laque de 600 ml)
Un bol à soupe (200 ml)
Un bol à riz (200 ml)
Quelques ramequins, soucoupes, coupelles, de la taille d'un demi-citron, d'une demi-orange, d'un demi-pamplemousse
Une petite assiette à dessert
Des baguettes ou une fourchette à dessert mais PAS DE COUTEAU (tout est découpé à l'avance)
Une corbeille de table pour le pain, les tacos, les biscuits du thé…
Une petite cuillère
Une bougie de table et une toute petite fleur.

Quelques techniques de base
pour cuisiner simple et facile

Utilisation de la râpe à quatre faces

Cette bonne grosse râpe en acier à quatre faces remplace à elle seule bien des gadgets de cuisine.

Le côté de la râpe le plus fin sert pour les zestes d'agrumes, une noix muscade, du parmesan très dur…

La râpe moyenne est très utile pour fabriquer avec un vieux morceau de pain de la chapelure pour un poisson ou un gratin (on peut aussi la congeler).

La plus grosse, enfin, est parfaite pour râper la mozzarella, les pommes de terre lorsqu'on veut les préparer en galettes, les carottes sur une salade ou les zukinis pour un beignet.

Enfin la fente : elle est idéale pour tailler de fines tranches de parmesan ou de roquefort congelé dans la salade ou du cheddar sur un toast. Elle coupe aussi en rondelles les légumes qui sont alors tous de la même épaisseur.

LES LÉGUMES

> « Les gens de la montagne de l'Ouest
> Savent comment être heureux :
> Une bonne soupe au melon
> Et des pointes de bambou frites
> Après les semailles de printemps. »
>
> Su Dongpo (1037-1101)

Les légumes sont bien souvent considérés comme les compagnons des viandes et des poissons. Mais ils méritent mieux.

Cuisson des légumes à la vapeur
Utilisez une passoire ou un petit panier en bambou que vous mettrez dans le faitout avec 2 cm d'eau (qui ne doit pas toucher les légumes).

Cuisson des légumes à feuilles (épinards, choux, feuilles de brocoli…)
On dit que c'est la cuisson au wok qui est la plus saine et la plus rapide. Mais le wok est volumineux, donc pénible à utiliser, à laver et à entreposer. Une petite poêle assez profonde remplit pratiquement la même fonction. Pour cuisiner les légumes à feuilles, les Chinois ont une technique très

simple, saine et rapide : il suffit de « jeter » les feuilles encore humides de leur eau de nettoyage dans de l'huile préchauffée et de l'ail, et couvrir immédiatement. Les feuilles seront alors saisies par l'huile chaude qui cautérise leur surface et préserve ainsi toutes leurs vitamines. On peut préparer de cette façon blettes, épinards, choux, laitues, etc.

CUISSON DES TUBERCULES (CAROTTES, POMMES DE TERRE, CROSNES, NAVETS…)

On trouve sur les marchés des légumes dits « anciens », tels les topinambours ou les crosnes ; ils peuvent tout simplement être cuits à la vapeur ou à l'eau avant d'être épluchés puis servis comme les pommes de terre, agrémentés d'un peu de beurre, de crème fraîche ou d'un filet d'huile d'olive et de fleur de sel. Un soupçon de fromage bleu, lui aussi, peut faire de ces légumes un plat royal.

Les légumes poussant sous la terre, comme les carottes ou les navets peuvent, quant à eux, se consommer le plus souvent râpés et crus. On dit d'ailleurs que, cuits, ils deviennent sucrés et sont moins diététiques – leur teneur en sucre augmente très sensiblement. Mais si vous les voulez cuits, plongez-les dans de l'eau froide avant d'allumer le feu. Sinon ils seront cuits à l'extérieur et crus au cœur ! Piquez avec une fourchette pour vérifier la cuisson.

DES RESTES DE LÉGUMES ? UNE PETITE TEMPURA

Enfin, s'il vous reste toutes sortes de légumes, le moyen le plus « luxueux » de les finir est de les couper tous de la même taille (une bouchée), de les enrober dans une sorte de pâte à crêpes sans œufs, très froide (réfrigérée) et de les plonger dans une toute petite casserole d'huile (pour en utiliser moins). Vous aurez alors une délicieuse tempura. Même les feuilles de persil ainsi préparées sont un délice. Si vous voulez faire de votre tempura un plat complet, vous pouvez aussi ouvrir une boîte de sardines que vous préparerez de la même façon. Un bol de riz et une sauce (moitié soja et moitié bouillon de poisson – à préparer avec du bouillon de poisson déshydraté) dans laquelle tremper les morceaux de tempura complètent ce plat parfait. Le secret d'une bonne tempura est cependant celui-ci : une huile très fraîche et légère, ou deux huiles mélangées (sésame et tournesol, par exemple).

Cuisson du riz japonais sans autocuiseur électrique (dans le faitout)

Pour la minimaliste que je suis, un des plus beaux cadeaux que j'aie jamais reçu fut le secret de faire cuire le riz à la japonaise sans avoir à utiliser le premier « must » de tout foyer japonais : un autocuiseur à riz, beaucoup trop volumineux et inesthétique à mon goût. Sans celui-ci, en effet, il est pratiquement impossible de faire cuire le riz de façon que les grains cuits ne se détachent pas mais restent entiers et brillants comme de petites perles. Voici donc le secret :

un petit faitout (16 à 20 cm de diamètre),

une feuille de papier d'aluminium de qualité (épais, qui ne se déchire pas),

du riz de Californie (si vous ne pouvez vous procurer du riz japonais), le plus proche des nombreuses variétés japonaises (une tasse de riz donne, cuit, quatre bols moyens de riz).

Laver le riz jusqu'à ce que l'eau soit claire.

Mettre le riz dans le faitout et le recouvrir d'eau plus l'épaisseur d'un doigt.

Bien sceller l'aluminium autour du faitout de façon que la vapeur ne s'échappe pas.

Mettre à feu doux (3 sur une plaque à induction) et laisser cuire 45 minutes. Le riz est alors idéal pour les boulettes de riz (*onigiri*), les sushis et pour être consommé avec des baguettes. Il conserve tout son parfum et sa texture est parfaite.

CUISSON DES GRAINES (DANS LE FAITOUT)
Le quinoa, ce minuscule joyau inca
1/3 de verre de quinoa 1/4 de verre d'eau
Faire dorer les graines de quinoa dans un peu d'huile puis ajouter 1/4 de verre d'eau ; couvrir et laisser cuire à feu doux.

On peut préalablement faire griller un oignon avant de mettre le quinoa à cuire.

Porter à ébullition 3 minutes en mélangeant puis laisser mijoter à feu très doux 15 minutes.

LA POLENTA (DANS LE FAITOUT)
1/4 tasse de polenta
1 cuillerée à soupe de beurre
1 cuillerée à soupe de parmesan râpé
1 cuillerée à soupe de basilic haché
Faire bouillir la polenta dans l'équivalent d'1 tasse d'eau 10 minutes.

Puis ajouter le beurre, le parmesan et le basilic.

CUISSON DES LÉGUMINEUSES (DANS LE FAITOUT)
Lentilles et pois cassés
Mettre dans une casserole trois fois le volume d'eau salée. Faire cuire 20 minutes.

Pois chiches et haricots secs
Mettre dans une casserole trois fois le volume d'eau de celui des pois chiches et laisser tremper une nuit. Faire cuire 20 minutes.

TECHNIQUE DE BASE D'UNE SOUPE (DANS LA CASSEROLE)

Faire revenir un demi-oignon dans un peu d'huile. Ajouter les légumes et les faire dorer. Ajouter l'eau et, si on le désire, un peu de bouillon cube en poudre.

Passer à la moulinette. Pour une soupe plus épaisse (en hiver), on peut utiliser des légumes et des légumes secs (lentilles, pois chiches, pois cassés). Cette soupe constituera à elle seule un repas complet délicieux.

LES PRÉPARATIONS À LA COCOTTE EN FONTE

Inutile de donner des recettes si l'on possède ce petit bijou. Il existe de toutes petites cocottes pour une ou deux personnes, et elles sont magiques : il est impossible d'y « rater » quoi que ce soit. Le principe est simple : faire revenir de la viande ou du poisson, ou tout simplement des légumes dans un peu d'huile, mouiller d'un verre de bouillon (cube, poudre), de vin ou d'eau, et, pour la viande ou le poisson, ajouter un ou deux légumes. Et voilà : il suffit de l'apporter directement sur la table et de soulever le couvercle pour découvrir la surprise. Un reste de pâtes, un steak haché et une tomate peuvent devenir un plat de chef !

MULTIPLES DÉCLINAISONS DE LA VINAIGRETTE

La base de la vinaigrette est du sel, du poivre, une cuillerée à café de moutarde, une cuillerée à soupe de vinaigre pour trois cuillerées à soupe d'huile. Mais on peut remplacer le vinaigre par du citron, diluer cette sauce avec du fromage blanc, y ajouter du fromage mou, des échalotes, du persil, des fines herbes, de l'oignon émincé, du piment, etc.

CONGELER

Congeler est bien évidemment une bonne chose, mais ne congeler que lorsque l'on a des restes est mieux. Les produits congelés ne sont pas éternels. Je congèle surtout ce que je fais cuire en quantité pour 4 ou 6 personnes, et ce, en portions individuelles. Le riz cuit japonais, en particulier, se congèle et décongèle très bien à condition d'être congelé quelques heures après sa cuisson. Tout comme le pain... Le fromage congelé, plus dur, est utile pour être facilement râpé. Quelques steaks hachés ou des petits pois dans le congélateur peuvent eux aussi parfois se révéler pratiques.

POUR ÉVITER DE SALIR TROP DE VAISSELLE...

Faire bouillir les boîtes de conserve ouvertes, au bain-marie.

La casserole avec bec verseur, couverte, peut égoutter légumes et pâtes : pas besoin de passoire.

Faire cuire les spaghettis dans la poêle, égoutter avec le couvercle puis ajouter la garniture.

À PROPOS DES RECETTES DE CE LIVRE...

Toutes les recettes qui suivent sont des recettes que je cuisine au quotidien et que j'ai glanées dans différents pays ou adaptées aux ingrédients que l'on peut se procurer facilement en Occident (des ingrédients si possible sains, bio, sans conservateurs ni additifs chimiques). Je ne mentionne aucun surgelé, mais rien ne vous empêche de les substituer aux produits frais.

Aucune d'entre elles ne nécessite l'usage de quelque appareil électrique que ce soit ni même d'un four. Toutes se préparent avec les cinq petits ustensiles de cuisine que j'ai décrits dans « La liste de listes » (une casserole, un faitout, une poêle, une cocotte en fonte et un panier vapeur).

Elles sont donc toutes simplissimes, pour la plupart très diététiques et composées uniquement des ingrédients que j'ai listés, sauf, bien sûr, ceux qui sont frais.

Les proportions sont proposées pour 1 personne. Si vous cuisinez pour 2, il faut donc multiplier (plus facile que de toujours faire les divisions par 4, 6 ou 8 !).

Dans l'idéal, j'aurais aimé ne donner aucune mesure, estimant que chacun doit apprendre à utiliser les ingrédients à sa discrétion, son goût et sa faim. Mais pour simplifier un peu, je me limite à ces mesures et à ces abréviations :

une tasse de 200 cl...... 1 C (one cup, en anglais)
une cuillerée à soupe...... 1 T (une cuillerée à soupe)
une cuillerée à café......... 1 t (une cuillerée à café)

LÉGUMES AU NATUREL

Aubergines

Le secret des Japonais, pour conserver la saveur des aubergines, est de les couper dans le sens de la longueur en longues lamelles de 1 cm d'épaisseur. Vous pouvez alors les faire frire à la poêle et, lorsqu'elles sont tendres et que vous avez arrêté le feu, les assaisonner de quelques gouttes de sauce de soja et de gingembre râpé (vendu en tube dans certains magasins).

Salade cuite

Un reste de laitue ? Faire revenir une échalote dans de l'huile à la poêle et ajoutez la salade. Vous pouvez alors ajouter quelques pignons de pin ou faire revenir la salade dans des lardons. Si vous vivez seul, une salade entière est difficilement consommable avant de s'abîmer… Cette recette est donc très utile pour éviter le gaspillage.

Brocoli

Cuire à la vapeur + beurre et pignons de pin.

Blettes au colombo

100 g de blettes, 1/2 T de poudre de colombo
Laver et couper en tronçons de 1 cm, ciseler les feuilles. Mettre dans la poêle huilée 5 minutes. Dès qu'elles sont translucides, ajouter le colombo, saler et poivrer. Servir avec de la viande ou dans un petit ramequin.

Un poivron à l'ail et à l'huile

Couper le poivron en épaisses lanières après l'avoir vidé, coupé et lavé, et le faire revenir dans de l'huile d'olive et de l'ail.

Salade de lentilles assaisonnée à l'échalote

Ouvrir une boîte de conserve de lentilles, laver à grande eau dans une passoire et assaisonner avec une vinaigrette et des échalotes.

Épinards au chèvre

Faire cuire les épinards encore mouillés dans une poêle avec une échalote que l'on a fait revenir avant. Écraser du fromage de chèvre dans un peu de fromage blanc et incorporer sur le feu en remuant doucement.

Carottes à la crème fraîche

Faire cuire les carottes et servir avec de la crème fraîche et du persil.

Poireaux en salade

Faire bouillir ou, encore mieux, faire cuire à la vapeur le poireau coupé en tronçons de 15 cm. L'asperger de quelques gouttes de vinaigre et le servir encore tiède.

Épinards et lardons congelés

Jeter le tout dans une poêle très chaude, sans huile ni sel.

Légumes verts à la oister sauce

Épinards, blettes, chou vert, chou chinois… Faire revenir un peu d'ail dans de l'huile de sésame et « jeter » les légumes encore humides de l'eau de lavage. Couvrir immédiatement puis assaisonner de « sauce d'huître » chinoise légèrement diluée dans une cuillerée à soupe d'eau (pour éviter de consommer trop de sel).

Salade de carottes râpées
aux raisins secs

Râper une demi-carotte, dresser avec une vinaigrette au citron (remplacer le vinaigre par du citron), et ajouter quelques raisins secs, levure de bière, etc.

Élégant trio « asperge, pomme vapeur, bouquet de brocoli »

Faire cuire une pièce de chacun de ces trois légumes à la vapeur et servir le trio avec un filet d'huile d'olive, du sel et du poivre.

Branches de brocoli au sésame grillé

Les couper en rondelles et poêler, puis assaisonner de cette sauce : sauce de soja, sésame, une pincée de sucre, puis du sésame blanc en graines (grillé à sec dans la poêle pour plus de goût).

Feuilles de céleri aux œufs brouillés

Faire cuire séparément, dans la poêle, les feuilles de céleri puis les œufs brouillés. Servir ensemble après avoir salé et poivré.

Pomme de terre en robe des champs

Faire cuire la pomme de terre à la vapeur et la servir coupée en quarts avec des fines herbes et un peu de beurre, de crème fraîche ou de mayonnaise.

Navet vapeur

Faire cuire deux rondelles de navet à la vapeur puis passer à la poêle avec du beurre. Saler et épicer à son goût. Napper de crème fraîche et noix muscade.

Potimarron à la poêle

Couper une grosse tranche de potimarron. Poêler et ajouter un tout petit peu d'eau ; couvrir et laisser doucement cuire jusqu'à ce que les tranches ne soient plus dures.

Potimarron à la cocotte

Couper des cubes de potimarron d'une bouchée (3 cm), les mettre dans la cocotte avec un tout petit peu d'eau, de sucre et quelques gouttes de sauce soja. Arrêter le feu avant que les cubes ne se délitent.

SOUPES ET POTAGES DANS LA CASSEROLE

Potage chinois à l'œuf

Faire bouillir un bol d'eau avec 1/2 t de bouillon cube, diluer 1 t de Maïzena et l'incorporer. Casser un œuf battu et le remuer avec une fourchette sur le liquide chaud. Décorer avec une plante aromatique coupée fin.

Le raffiné potage à l'aneth

Faire revenir un peu de bacon ou quelques lardons avec un 1/4 d'oignon émincé dans la petite casserole. Ajouter un bol d'eau et 1/2 pomme de terre coupée en petits dés. Quand la pomme de terre est cuite, ajouter quelques feuilles d'aneth.

Soupe au maïs ou autres fèves

Mouliner les 2/3 d'une petite boîte de maïs, ajouter une tasse de lait chaud, du poivre et du sel, puis rajouter le reste des grains de maïs. Faire réchauffer.

Veloutés de légumes

La base de tout velouté est à peu près la même : mettre un peu de beurre ou d'huile dans une casserole chaude, faire revenir quelques légumes (chou, oignons, pommes de terre, poireaux, navets, carottes, potimarron, asperges, champignons…) Assaisonner à son goût (une pointe de sauce tomate concentrée par exemple). Passer à la moulinette. Pour plus de velouté, ajouter 1 T de crème fraîche.

Soupe au crabe

Faire bouillir un petit crabe entier dans 1 C d'eau, l'ouvrir en deux, ajouter une cuillerée de pâte de soja (miso) au bouillon et de la ciboulette coupée fin. Servir dans un bol en laque.

La soupe de miso

Miso Tofu (et/ou finement coupé) Un peu de bouillon de poisson. Mettre des cubes de tofu et/ou deux autres ingrédients (au choix entre de l'algue de wakame, un shii-take, 1/8 d'oignon ou 1/8 de feuille de chou tous coupés à la même taille) dans 1 C d'eau, puis ajouter une cuillerée à café de miso. On peut aussi ajouter, pour plus de goût, une pincée de bouillon de poisson déshydraté. Décorer avec un peu de ciboulette.

Soupe julienne

1/4 de carotte 1/2 pomme de terre 1 vert de poireau

Râper pomme de terre et carotte. Couper finement le vert de poireau et faire cuire le tout dans de l'eau ; consommer tel quel après avoir assaisonné (sel, poivre, beurre ou crème fraîche).

Curry de coco végétarien

1 T pâte de curry verte 1/2 C de lait de coco en boîte 1/2 tasse de patates douces 1/2 tasse de légumes divers (brocoli, carottes, zucchini haricots verts…)

Faire chauffer en remuant 1 minute la pâte de curry dans une casserole. Ajouter la patate douce et le lait de coco avec 1/4 C d'eau. Couvrir, faire bouillir puis mijoter jusqu'à ce que la patate douce soit presque cuite. Ajouter les autres légumes et faire cuire encore 5 minutes. Quand la patate douce est quasiment réduite en purée, c'est prêt.

LES PETITS PLATS MIJOTÉS DE LA COCOTTE EN FONTE

Paupiettes de veau

Enrouler un œuf dur dans une petite tranche de jambon cru, puis une de jambon de Bayonne, puis une très fine escalope de veau. Ficeler. Faire dorer dans un peu d'huile, puis, après avoir ajouté un tout petit peu d'eau dans le fond de la cocotte, laisser mijoter 40 minutes. Ajouter, si vous le désirez, en fin de cuisson, quelques champignons ou un autre légume.

Le bol des jours de neige

1/4 C pois chiches
1 C d'eau
Une pincée de bouillon cube
1/4 d'oignon haché
Un morceau de jambon fumé sur l'os
1/2 carotte
1/2 branche de céleri

Rincer les pois chiches, ajouter le reste, sauf la carotte et le céleri, et faire bouillir à feu doux pendant 40 minutes. Retirer l'os, émietter la viande et ajouter carottes et céleri. Faire mijoter à nouveau une demi-heure.

Déguster avec des crackers ou une tranche de pain complet.

Porc au caramel

Faire revenir 1/4 C sucre dans une casserole. Lorsqu'il commence à roussir, y jeter 100 g de cubes de poitrine de porc fraîche et bien remuer. Recouvrir d'eau et ajouter deux œufs durs. Assaisonner avec un peu de sauce soja, d'anis étoilé et de gingembre râpé. Se consomme chaud ou froid sur du riz et se conserve pendant plusieurs jours. Idéal pour un o bento.

Une côte de porc

100 g de crème de champignons en boîte
80 g de petits pois en boîte
Un peu d'oignon émincé

Mettre tous les ingrédients dans la cocotte et laisser cuire 45 minutes.

Porc aux tomates

Faire griller une côtelette de porc dans la cocotte ; ajouter de l'ail et deux ou trois petites tomates en boîte, faire bouillir puis laisser mijoter 2 h 30. Avant de servir, ajouter de la crème et faire épaissir à feu vif.

Curry de bœuf

Faire revenir quelques morceaux de bœuf dans la cocotte, saler, poivrer et recouvrir d'eau. Ajouter 1/2 C de pois chiches secs et 1/2 tasse de cubes de potimarron. Diluer un peu de poudre de curry et l'incorporer. Laisser mijoter 40 minutes.

Bouillon de bœuf

Os à soupe de bœuf
Bouquet garni et 1 oignon émincé
1/2 tasse de légumes en dés (carottes, céleri…)
Mettre à bouillir et faire cuire jusqu'à ce que la viande se détache de l'os. Tamiser.

PETITS PLATS CHAUDS POÊLÉS

Calamars au beurre citron

Faire revenir 80 g de calamars coupés en tronçons dans un peu de beurre, citron, sel et poivre. Servir avec du persil.

Riz cantonais

Faire revenir 1/2 oignon à la poêle, le retirer. Faire un œuf brouillé. Retirer. Faire cuire 1 C de « vieux riz » (ayant été cuit et réfrigéré au moins 24 heures), puis incorporer le reste. Saler et poivrer.

Omelette au steak haché

Mélanger un steak haché et un œuf battu. Saler et poivrer. Faire dorer des deux côtés.

Steak à la moutarde

Au lieu de faire revenir le steak ou le steak haché dans un peu d'huile, le faire cuire dans 1 T de moutarde en grain. Inimaginable de ne pas y avoir pensé plus tôt : c'est tellement délicieux ! (La moutarde en grain ajoute une texture intéressante…)

Galette de pomme de terre

Râper une pomme de terre avec les gros trous de la râpe. Faire griller à la poêle comme pour une crêpe, saler et poivrer.

Iwashi no kobayaki

Fariner de Maïzena une sardine vidée et ouverte de moitié, aplatie et la faire frire. Puis la tremper dans une sauce (soja, saké, sucre). Servir sur du riz avec du sésame grillé et des lamelles de *nori* (algue).

Asperges au bacon

Couper deux asperges cuites en 3 tronçons chacune et les enrouler dans une fine tranche de bacon coupée en 2. Fixer avec des cure-dents en bois et faire dorer.

Poisson à la chapelure

1 filet de poisson épongé, salé et poivré
Une cuillerée à soupe de chapelure (vieux pain râpé ou 1 T de polenta épaissie avec un peu de farine)
Faire griller à feu moyen. Assaisonner avec un jus de citron, une sauce tomate ou du pesto de basilic.

Poêlée poireaux-champignons

Mettre quelques champignons de Paris frais ou en conserve lavés et coupés en lamelles et un petit blanc de poireau dans une poêle huilée. On peut aussi ajouter un yaourt pour plus de moelleux.

Pavé de saumon grillé

120 g de saumon frais
Faire cuire, la peau en dessous, sans le retourner. Assaisonner de citron, gros sel et d'un filet d'huile d'olive. Délicieux avec un poireau vapeur en vinaigrette !

Omelette aux zucchinis râpées

Râper 1/2 zucchini et mélanger à un œuf. Poêler.

Omelettes variées

Tomates, oignons, jambon, épinards, crevettes…

Galette de viande hachée
et pomme de terre écrasée

Mélanger viande et pomme de terre écrasée à 1/2 oignon émincé. Mélanger et poêler.

Omelette au steak et cheveux d'ange

Réhydrater une poignée de cheveux d'ange dans un bol d'eau chaude. Après une demi-heure, les couper en morceaux de 2 cm et les mélanger à l'œuf battu et au steak haché. Assaisonner avec un peu de nuoc-mâm, de sel et de sucre et poêler sur les deux côtés.

Omelette blanche aux épinards

Faire cuire un blanc d'œuf brouillé. Mettre de côté. Faire revenir quelques feuilles d'épinards avec du sel et du poivre. Servir en décorant avec les blancs d'œufs en petites boulettes ressemblant à du mimosa blanc.

Ratatouille

Faire revenir 1/2 oignon. Ajouter une tomate en tranches, 1/4 de courgette (ou concombre) en rondelles. Assaisonner à l'ail, sel et poivre, parmesan râpé.

SALADES FROIDES COMPOSÉES

Salade d'été aux crevettes

Une vingtaine de petites crevettes roses
1/2 pamplemousse en quartiers
1/2 avocat en morceaux
Servir avec une « vinaigrette blanche (1 t de mayonnaise mélangée à un peu de lait) ou jus de 1/2 citron.

Cocktail de crevettes

Mélanger mayonnaise et ketchup et servir avec les crevettes.

Salade de gambas et d'orange

Orange en morceaux. Crevettes ou gambas décortiquées.
Sauce : citronnelle, cacahuètes pilées, nuoc-mâm, vinaigre de riz.
Servir cette salade dans l'écorce d'une demi-orange vidée.

Tartare de tomates au basilic

(*Les joies du tartare sans viande.*)
3 tomates
1/2 échalote
Un peu de basilic
Ail
Sel et poivre
Peler les tomates, les découper et les écraser à l'aide d'une fourchette et former de petits palets. Ajouter le reste et laisser reposer au réfrigérateur 2 heures.

Hareng fumé à la pomme de terre

Mélanger un peu de hareng (ou truite) avec une pomme de terre cuite, une échalote émincée et de l'huile d'olive.

Salade froide de spaghettis

Mélanger des cubes de jambon, des rondelles de concombre, et ajouter les pâtes. Servir avec une sauce (huile, vinaigre de vin, paprika rouge en poudre, jus de citron, feuilles de basilic, ail, sel et poivre).

Salade de chou cuit

Faire bouillir quelques feuilles de chou cuit, les presser pour en extraire l'eau, couper en fines lamelles et mélanger avec sel, mayonnaise, maïs en boîte et jambon. Servir très frais.

Salade des « 3 dés »

1 dé de jambon, 1 dé de branche de céleri et 1 dé de pomme. Assaisonner avec des moitiés de noix et une sauce vinaigrette blanche (1 T mayonnaise, 1 T lait).

Salade d'endive et de roquefort

Servir l'endive coupée en fines rondelles avec des noix et une sauce composée de 1 T de roquefort écrasé, moutarde, huile d'olive, jus de citron.

Salade de céleri et de pamplemousse

Couper 1/2 branche de céleri et 1/2 pamplemousse en dés et servir avec une sauce faite d'huile, de vinaigre blanc et de sel.

Salade de saumon fumé à la tomate

Servir une tranche de saumon fumé sur un petit plat avec de l'oignon en lamelles, quelques rondelles de tomate, de l'huile d'olive et jus de 1/2 citron.

Salade de lentilles ou de pois chiches

Servir avec une échalote tranchée, du persil haché et de la vinaigrette.

Poisson au court-bouillon

Préparer un bouillon (bouquet garni et oignon entier), déposer le poisson dans l'eau bouillante, arrêter le feu, et laisser ainsi mijoter 4 ou 5 heures à couvert (on peut utiliser un Tupperware® pour cela). Servir avec du corail de poisson préparé de la même façon et une sauce « citron-beurre » ou une mayonnaise aux échalotes.

Salade de rumsteck

125 g de lamelles de rumsteck froid sur un assortiment de crudités variées assaisonnées d'un peu d'huile d'olive, de citron et d'aneth.

Salade de chou cru

Couper 1/10 de chou cru très fin, le mélanger avec un œuf dur et un peu de maïs ou/et riz et 1/2T de mayonnaise mélangée à 1/2 T de yaourt.

Salade de pommes de terre

Une pomme de terre cuite grossièrement écrasée, un œuf dur écrasé, 1/4 de petit concombre en rondelles fines, 1/2 T de mayonnaise et 1/2 T de lait ou de yaourt.

SAUCES, DIP ET PICKLES

Pickles de gingembre

1 T de rondelles très fines de gingembre. Faire bouillir puis ajouter 3 T de vinaigre de riz, 2 T de sucre, un peu de sel. Laisser refroidir. Égoutter. Se conserve au réfrigérateur plusieurs jours.

Pickle japonais de chou, chou chinois, concombre ou aubergine (tsukemono) pour le o bento et le riz japonais

Une ou deux feuilles de chou chinois coupée(s) en lamelles, mise(s) dans un sac en plastique avec des piments oiseaux et un peu de sel. Malaxer, réfrigérer 2 heures.

Vinaigrettes variées pour crudités

On peut ajouter à une simple vinaigrette du fromage blanc, du yaourt, un peu de lait frais, des fines herbes, un œuf dur écrasé, du jus de citron, des câpres... toutes les combinaisons sont possibles. Un secret de chef : ajouter un goût caché en toute petite quantité, comme du miel, de la confiture, un morceau de fruit, une pointe de pâte d'anchois...

Sauce bulgare pour saumon fumé, thon, concombre

Yaourt, citron et moutarde.

La sauce vinaigrette blanche

Mélanger 2/3 d'un yaourt à 1/3 de mayonnaise.

La sauce anglaise Gravy

Mélanger 1 T de Maggi Mix à 5 T d'eau. Faire chauffer.

Un dip à l'oignon

1 T de crème fraîche
3 T de poudre de soupe à l'oignon en sachet

Sauce au roquefort (pour les endives)

1 T de fromage blanc, 1 t de roquefort écrasé et mélangé, quelques noix pilées, vinaigre, ciboulette.

Sauce brésilienne pour rosbif ou entrecôte grillée

(shirasco)
2 T sauce soja
Une gousse d'ail pilée

Jus de 1 citron
Laisser mariner une nuit.
Excellente sauce…

Goma ae (sauce au sésame) pour chou, épinards, blette, concombre, pommes allumettes, haricots verts…

Écraser grossièrement 2 T de graines de sésame (grillées à sec à la poêle couverte), puis les incorporer à 1 T de beurre de sésame, 1/2 T de sauce soja et 1 T de sucre. On peut remplacer le sésame par des cacahuètes ou des noix.

Beurre à l'ail

Beurre mou
1/2 gousse d'ail écrasé
1 t de jus de citron
Un peu de persil haché

Confiture d'oignon (pour steak grillé)

1 oignon haché
1 T de vinaigre balsamique
6 T de sucre brun
2 T d'huile d'olive
Faire cuire l'oignon dans l'huile, ajouter le vinaigre et le sucre, remuer et faire cuire jusqu'à obtenir une consistance de confiture.

Sauce pour des pommes de terre vapeur

1/2 T de crème fraîche
1/2 T de fromage crémeux
1 T de feuilles d'herbes aromatiques

Sauce vinaigrette au miel

2 t de miel
1,5 T de moutarde de Dijon
2 T de vinaigre (blanc de préférence)
1/3 C d'huile d'olive

Sauce béchamel

1 T beurre
1 T farine ou maïzena
1/2 C lait
Mélanger la farine au beurre fondu sur feu doux et ajouter lentement le lait. Faire cuire 2 minutes.

Coulis pour viandes grillées, poissons...

Légumes (tomates ou brocolis, champignons, aubergines pelées...) : faire cuire, mixer, ajouter sel, poivre, ail et un filet d'huile d'olive. On peut épaissir avec une cuillerée à café de Maïzena ou de Arrow roots (farine de tubercule excellente pour la santé. Les Japonais en prennent comme médicament).

Houmous

150 g de pois chiches
1/2 gousse d'ail pilée
1 T de jus de citron
1 T de pâte de sésame
Mouliner ou écraser le tout à la fourchette puis mélanger.

Sauce thaïlandaise (pour salades de cheveux d'ange, beignets de légumes...)

1 T sucre
1 T citron vert
4 T nuoc-mâm
Piment frais émincé (facultatif)

DESSERTS

Poire au vin

Faire cuire la poire coupée de moitié dans 1/4 de verre de vin rouge. Additionner, si nécessaire, d'un peu de sucre et de cannelle. Servir avec de la crème Chantilly en bombe.

Salade de fruits aux kumkats

5 kumkats coupés en deux, quelques cerneaux de noix, 5 grains de raisin muscat coupés en deux, le jus de 1/4 d'orange.

Compote pomme-poire

Faire cuire dans une petite casserole 1/2 pomme et 1/2 poire. Mixer ou écraser et parfumer à la cannelle.

Pruneaux aux épices

5 pruneaux
30 ml de vin rouge
1 cuillerée à soupe de sucre
1/4 de bâton de cannelle

Faire cuire à feu doux le liquide, puis ajouter les pruneaux et laisser cuire à nouveau 20 minutes.

Les cookies les plus simples du monde

1/4 de verre de beurre de cacahuète
1/4 de verre de sucre en poudre
1/2 œuf
Mélanger et faire cuire sur les deux côtés dans la poêle couverte, à feu très doux.

Mousse au chocolat

Le secret : des œufs très frais et une pincée de sel lorsqu'on les monte en neige. Si vous n'avez pas de batteur électrique, vous pouvez utiliser un fouet à manivelle et monter dans un récipient haut et étroit. Lire la recette sur le papier d'emballage du chocolat noir et diviser les quantités par 8.

Poire pochée au chocolat

1 carré de chocolat noir
50 g de crème fraîche
1/2 t de café soluble
Faire fondre le chocolat avec le café en remuant. Verser sur une poire pochée (épluchée, coupée en quartiers, épépinée et trempée dans de l'eau bouillante 2 minutes).

Pêche au jus d'orange

Pocher la pêche à l'eau bouillante. Laisser refroidir puis éplucher (elle est alors rose). Servir par moitiés avec du jus d'orange et de la menthe ciselée.

Biscuits à la noix de coco

1/4 de boîte de lait condensé de 250 cl
30 g de noix de coco râpée
Former des petits gâteaux de ce mélange à l'aide d'une petite cuillère et mettre à cuire dans la poêle couverte, à feu très doux (laisser plutôt sécher que cuire).

Banane flambée

Couper la banane dans le sens de la longueur. La mettre dans une poêle huilée et saupoudrer de sucre. La retourner, puis faire flamber au rhum.

Tarte tatin sans pâte

Couper une pomme en tranches de 1 cm. Faire fondre dans la casserole 2 T de sucre. Quand il fait des bulles verser 2 T de beurre, puis ajouter les tranches de pomme. Laisser cuire 15 minutes à feu doux en remuant délicatement de temps en temps.

Fruits rouges de Noël
(Röte Grütze, Allemagne du Nord)

Faire cuire dans un fond d'eau 150 g de fruits rouges frais ou congelés (cerises dénoyautées, groseilles et framboises *ou* cassis, myrtilles, fraises). Ajouter une petite cuillerée à soupe de sucre en poudre et 1/2 cuillerée à café de Maïzena diluée dans un peu d'eau. Arrêter le feu lorsque le liquide s'écoule en perles. Servir avec de la crème Chantilly ou une petite boule de crème glacée. Décorer avec un peu de menthe ciselée.

PETITS SNACKS POUR PETITS CREUX

Boîte de sardines chaudes

À servir sur des rondelles de baguette de pain grillé.

Des toasts à la sardine pour l'apéritif

Une boîte de sardines à l'huile lavées et essuyées. Les écraser et les mélanger à un peu de beurre. Tartiner sur des crackers.

Pain, huile d'olive et parmesan

Mélanger dans un ramequin 2 T d'huile d'olive, sel et poivre, 2 T de parmesan râpé. Déguster en trempant de petits morceaux de pain. Sublime en apéritif avec une coupe de champagne (on n'a plus faim après).

Jambon fumé au parmesan

Passer un filet d'huile sur le jambon fumé et saupoudrer de parmesan en copeaux.

Gambas au Ricard

Faire revenir une échalote dans de l'huile, ajouter quatre gambas et du poivre. Lorsqu'elles sont cuites, flamber au Ricard – une cuillerée à café –, ajouter de la crème fraîche et servir.

Une saucisse, une feuille de chou et une pomme de terre

Mettre à bouillir dans une tasse d'eau une belle feuille de chou avec une saucisse. Faire bouillir 4 minutes. Égoutter et servir avec une pomme de terre vapeur et une pointe de moutarde. Une bonne bière, et c'est le paradis !

Riz et œufs de saumon

Recouvrir un petit bol de riz cuit à la japonaise bien chaud de 2 T d'œufs de saumon frais et de quelques algues « nori » vert émeraude coupées en très fines lanières.

Escargots sans coquille

Laver 100 g d'escargots en conserve ou bocal. Les faire cuire dans une petite casserole avec de la crème fraîche de l'ail et du persil. Servir chaud dans un bol avec de la baguette passée au four.

LE BOL UNIQUE (OU BOL-REPAS)

Bo bun vietnamien (salade de vermicelle)

Faire mariner 120 g de lamelles de bœuf dans une sauce composée de 1 gousse d'ail, un peu de citronnelle en rondelles et 4 T de nuoc-mâm. Râper 1/3 de carotte grossièrement et ajouter quelques feuilles de salade coupées en lanières ainsi que quelques feuilles de menthe ciselées.

Faire tremper une poignée de vermicelle chinois ou cheveux d'ange dans un bol d'eau chaude, égoutter et couper fin, et faire griller la viande dans une poêle. Mélanger le tout et servir avec des cacahuètes pilées.

Pad thaï

Faire tremper dans de l'eau chaude des nouilles de riz. Les égoutter. Faire sauter quelques lamelles de bœuf ou du tofu avec de l'ail. Mettre à part. Faire griller dans cette même poêle quelques légumes (pousses de soja, pousses d'oignon). Faire une omelette fine à couper en lamelles. Retirer. Faire griller les pâtes, ajouter nuoc-mâm, sucre, vinaigre, épices, jus de citron vert et ajouter les légumes, les œufs, la viande et des cacahuètes pilées. (Vous pouvez remplacer la viande par des crevettes et faire des œufs brouillés à la place des œufs en lamelles.)

Spaghettis à la sauce aux noix

Faire cuire les spaghettis et quelques asperges tendres et mélanger avec ail, noix pilées, sel et poivre, et huile d'olive.

Pot au feu

Faire cuire 150 g de viande de bœuf non grasse (paleron, jumeau, joue de bœuf) dans la cocotte, et une carotte avec une pomme de terre dans le faitout. Servir le tout arrosé d'un peu de sauce gribiche dans un gros bol (les pommes de terre remplacent le pain, donc elles représentent, dans ce plat, LE féculent).

Pâtes au fromage de brebis frais et aux épinards

Pâtes
Fromage de brebis frais
Épinards hachés
Ail, basilic, persil
Sel et poivre
Servir avec un peu de feta émiettée.

Pâtes au crabe

Crème fraîche
Zeste de citron
100 g de chair de crabe
Faire revenir le crabe, la crème et le zeste dans une casserole. Mélanger cette sauce aux pâtes chaudes.

Oyako don (bol de riz recouvert de poulet et œuf) japonais

50 g de poulet coupé en cubes de 2 cm
1/2 oignon coupé en 1/2 cm d'épaisseur
3 cm du vert d'un poireau
1 œuf
1 bol de riz
Pour la sauce : 1 T sauce soja
1 T sucre en poudre
1 t de dashi ou eau et bouillon cube
Faire cuire l'oignon et le poireau dans une grosse cuillerée d'eau assaisonnée de bouillon, puis ajouter le poulet, le sucre et la sauce soja. Couvrir et faire cuire. Une fois le poulet cuit, verser sur celui-ci un œuf battu en suivant le contour de la casserole. Couvrir. Lorsque le contour est cuit, éteindre le feu et laisser finir de cuire l'omelette avec un couvercle. Servir dans un grand bol sur le riz. L'omelette est supposée être baveuse. La chaleur du riz finira la cuisson. On peut rajouter sur le bol deux asperges coupées en tronçons pour faire de ce plat un repas complet.

Pâtes rapides

Faire revenir, au choix, bacon, tomates séchées, crevettes, champignons, avocat à la poêle pendant que les pâtes cuisent dans le faitout. Servir le tout dans le bol et saupoudrer de parmesan.

Pâtes aux crevettes et à l'avocat

100 g de pâtes
50 g de grosses crevettes cuites
1/2 avocat mûr
Un peu de piment
1 filet d'huile d'olive
Sel et poivre

LE O BENTO

Tout ce que l'on mange dans un repas normal est utilisable pour un o bento, sauf les aliments trop liquides. Le o bento est traditionnellement composé, pour un tiers, de riz cuit à la japonaise (voir la recette du riz cuit à la japonaise p. 177), mais les jeunes Japonais aiment de nos jours consommer des o bento à l'occidentale (salades composées, sandwichs coupés en cubes...)

Le o bento est en principe composé d'une partie du dîner de la veille dont on a prélevé quelques morceaux en prévision de celui-ci, ainsi que de petites portions d'aliments, chacune de la taille d'une bouchée, que l'on a congelées à cet effet (séparées, dans le o bento, les unes des autres, pour en isoler les goûts, par des papillotes de cellophane ou des verts de feuille de poireau). Seul le riz est à préparer dès que l'on se lève et à mettre dans le o bento, chaud, avant de sortir (il faut 40 minutes pour le riz cuit à la japonaise). Mais si vous avez un four à micro-ondes ou du riz cuit en 8 minutes, cela va aussi...

Exemples de bouchées pour compléter le riz :

viande froide
une tranche d'orange
un cornichon
deux ou trois choux de Bruxelles
une gambas
un quartier de pomme de terre cuite
un quartier d'œuf dur
une bouchée d'omelette au steak haché
une châtaigne
un demi-œuf écalé
une asperge coupée en 3 tronçons
un morceau de fromage
une bouchée de poisson grillé
deux cerneaux de noix
une lichette de jambon
une cuillerée à soupe de brandade de morue dessalée et mélangée à des pommes de terre et échalotes assaisonnées à la vinaigrette
quelques bâtonnets de céleri, carotte crue...
petits pois frais cuits dans leur cosse, haricots verts...
petites galettes de lentilles
miettes de saumon à saupoudrer sur le riz. (Faire cuire un peu de saumon jusqu'à ce que celui-ci soit assez sec pour être émietté. Il se conserve une semaine dans un bocal au réfrigérateur.)
boulettes de viande froide ou blanc de poulet
lamelles de poivron rouge cuit
bouquet de brocoli
graines de sésame
champignons
quartier de patate douce

1/2 poivron cuit farci d'une omelette au jambon et age dofu rolls (rouleaux de feuilles de tofu frais) farcies de haricots verts, *enoki* et carottes en bâtonnets

anguille fumée
une cuillerée de haricots secs en vinaigrette
épinards au sésame
calamar à la sauce tomate
morceau de flétan grillé

Tout est permis… Ce qui compte, c'est d'utiliser des ingrédients de saison, variés et frais.

QUELQUES O BENTO « ADAPTÉS »…

Un o bento d'été : taboulé poulet, raisins secs, carottes râpées ou salade de riz ou pâtes (mayonnaise et petits légumes coupés fins) accompagnée de jambon ou de poisson froid (saumon fumé en miettes, truite fumée…).

Un o bento d'hiver : *tonkatsu*. Le tonkatsu est une côtelette de porc panée coupée en lamelles (1 × 5 cm) et assaisonnée d'une sauce sirupeuse à base de soja et de miel que l'on trouve dans les épiceries japonaises. Le tonkatsu bento est très populaire. La côtelette découpée en fines lamelles recouvre entièrement le riz.

Une salade de pommes de terre cuite à la vapeur et écrasée avec un œuf dur et des rondelles de concombre assaisonnées avec un peu de mayonnaise, de sel et de poivre.

À côté du riz, un bouquet de chou-fleur avec de la mayonnaise, petit goujon en friture, 1/2 œuf en omelette fourré de 2 crevettes, une tomate cerise, 5 fèves, flocons de saumon grillé, une *umeboshi*, abricot en saumure.

Une couche de riz recouverte par une autre composée de 1/3 d'œufs brouillés, 1/3 de cosses de petits pois coupées en losanges et cuites à la poêle avec un tout petit peu de beurre et de poivre, 1/3 de steak haché cuit et presque desséché dans une sauce faite d'1 T de soja et 2 T de sucre.

SANDWICHS

Le vrai sandwich anglais

Pain noir, concombre, *cream cheese* ou saumon fumé (6 × 6 cm) OU
Pain blanc, jambon fumé, œuf dur, mayonnaise, cresson, cheddar, moutarde (mêmes dimensions).

Idées de sandwichs

Sandwich aux carottes râpées, fromage, laitue et mayonnaise.
Sandwich au bacon, laitue et tranches de tomates bien égouttées de leur jus.
Saumon fumé mélangé avec du cream cheese (ou mascarpone) et de la laitue.

Pita à la carotte râpée et à la viande froide

Mettre dans une poche de pita une salade composée de carottes râpées, un œuf dur écrasé, de la mayonnaise et une tranche de viande froide coupée en tout petits morceaux.

Pita au saumon

Une pita
Un peu de saumon fumé
Crème fraîche épaisse
Cresson

Garnir l'intérieur de la poche de pita avec les 3 ingrédients superposés.

Et, pour finir, mon brunch de rêve…

• un œuf à la coque pondu le matin et cuit 2 minutes 45, servi avec des mouillettes d'un pain sortant du four, accompagné d'un beurre breton à la fleur de sel de Guérande ;

• une tomate de jardin avec sa vinaigrette servie à part (4 fines herbes, poivre noir et blanc, une huile provenant d'oliviers vieux d'au moins quatre cents ans, couleur presque vert fluo – que l'on peut se procurer dans les magasins spécialisés d'huile d'olive) ;

• une eau plate fraîche mais pas glacée (14 °C) ;

• une tisane de plantes naturelles et séchées maison infusée 4 minutes.

N'est-il pas le summum de la volupté ?

TABLE

INTRODUCTION 11

PREMIÈRE PARTIE
COMMENT MOINS MANGER

REDÉCOUVRIR FAIM ET SATIÉTÉ 17

Qu'est-ce que la satiété ? 17
Être à l'écoute de sa faim 18
Comment retrouver le sentiment de satiété ? 19
Manger varié pour manger moins 21
Le grignotage est-il naturel ? 21
Si vous grignotez, faites-le dans les règles de l'art 23
Des protéines pour se rassasier 24

COMMENT RAMENER L'ESTOMAC
À SA TAILLE NATURELLE ? 25

Quelle est la taille de l'estomac ? 25
Retrouvez la taille naturelle de votre estomac
   avec un kilo de poireaux 26
Le bénéfice du jeûne 28

PAS DE RÉGIMES, MAIS DES AUTOLIMITES 31

Ni contraintes ni laisser-aller 31
Tout d'abord, pesez-vous 33
Attention à la rigidité
   en matière de restrictions alimentaires 34
Dérapages et souplesse 35

Deux jours de dérapage, deux jours de rattrapage 36
Avoir ses propres « règles d'or » 37
Quelques suggestions de « règles d'or » 38
Au restaurant 39
Chaque jour de sa vie 39
Le seul vrai régime qui soit 39

DEUXIÈME PARTIE

RÉDUIRE SES PORTIONS

LE CONCEPT DES PORTIONS :
ADIEU CALORIES ET PESÉES ! 45

Les portions d'hier et celles d'aujourd'hui 45
La taille d'une pomme, d'un œuf,
    d'une pomme de terre… 47
Adieu, le calcul des calories 48
Le repas typique des Français 49
Se contenter de demi-mesures
    et compter ce qui fait son bonheur 50
Sachez exactement ce que vous allez
    mettre dans votre estomac 51
La taille des portions à visualiser 52
Quantités quotidiennes nécessaires à l'organisme 53
Comment faire des petites portions un mode de vie ? 54

LES BOISSONS 57

Les boissons, ces nourritures souvent ignorées 57
L'eau 57
Quitte à consommer de l'alcool, choisissez le meilleur 58
Le champagne 59
Consommer peu d'alcool : un adorable carafon 60
Boire du thé pour concentrer son esprit 61

RÉDUIRE LA TAILLE DES CONTENANTS 63

Éloge de la variété et de la fantaisie pour prendre ses repas 63
    L'assiette unique 64
    Le repas dans un bol 64
    Le repas sur un plateau 66

Éloge des petites tailles :
vaisselle, tables, batterie de cuisine… 67
À chacun sa vaisselle 67
Se nourrir dans de la petite vaisselle… 68
De la vaisselle patinée et apparemment disparate 69
Manger avec des couverts,
des baguettes ou ses doigts ? 70
Le charme d'une petite table 71

TROISIÈME PARTIE

LA CUISINE, SOIN DU CORPS ET DE L'ÂME

L'IMPORTANCE DE CUISINER 75

Se sentir vivre 75
Cuisiner, un acte naturel 76
Pas de santé sans cuisine 77
Le ki nourricier 78
Cuisiner et « décompresser » 79
S'amuser, jouer à la dînette 80

LES COURSES INTELLIGENTES 83

Le foyer et l'économie 83
N'achetez que des produits de saison 84
Évitez les visites fréquentes dans les grandes surfaces 84
Les achats et la règle de trois :
« une céréale, une protéine, un légume » 86
C'est nous qui avons la responsabilité de la planète 87

LE O *BENTO* 91

Un repas sur mesure 91
Le plaisir de préparer son o bento 92
Les multiples avantages du o bento 93
L'art du o bento 94

COMPOSER SES MENUS 97

Bien agencer ses repas 97
Imaginer des menus chaque jour :
surcharge pour le mental ? 98

Toujours privilégier la règle des trois :
  « une céréale, une protéine, un légume » 99
N'oublions pas que la bière est un féculent... 100
Variété, originalité et herbes aromatiques 100
S'unir aux saisons et à la nature 101

UNE CUISINE FONCTIONNELLE 103

Les avantages d'un tout petit espace 103
L'organisation autour du fourneau 104
Rangez par catégories : le petit panier 105
Rassemblez les ustensiles de cuisine
  par groupes de « fonctions » 106
Le réfrigérateur 107
Des torchons immaculés 107
Faire la vaisselle, chérir ses casseroles 108
Que faire de tout ce qui est trop volumineux ? 110

À VOS FOURNEAUX... 111

La semi-cuisine 111
Cuisinez simple 112
Les recettes 114
Maîtriser l'art de la sauce 115
Le culte des légumes 116
Recherchez la perfection dans la qualité des ingrédients
  et le goût 117

QUATRIÈME PARTIE

VOLUPTÉ ET NOURRITURES DE L'ÂME

NOS SENS ET LA VOLUPTÉ 121

Aiguiser ses sens 121
Le goût et la langue 123
Écouter 124
Palper 125
Humer 126
Regarder 127

N'ACCEPTER QU'UN GOÛT PARFAIT 129

Moins on mange, plus on apprécie ce que l'on mange 129
Découvrir ce que l'on aime vraiment
    pour se passer du reste 130
Prendre le temps de manger,
    bouchée par bouchée 131
Nourriture et émotions 132
L'éloge de la fadeur 134

APPÉTIT ET ESTHÉTIQUE 137

Des aliments appétissants 137
La table ou le plateau : comment poétiser les détails
    du quotidien 138
Ce que nous mangeons et comment nous le mangeons
    se répercutent sur nos vies 140
Des nourritures faciles à manger élégamment 141
Un repas de mousses 141

CONVIVIALITÉ ET REPAS PRIS EN COMMUN 143

Les sacro-saints repas de famille 143
Ne pas finir à tout prix son assiette 144
Les apéritifs dînatoires 145
L'izakaya 146

LES NOURRITURES INVISIBLES 149

Que représente un repas ? 149
Naikan ou la nourriture
    comme don des autres 150
Dire des grâces avant le repas 150

LES NOURRITURES DE L'ÂME 153

La philosophie diététique 153
Ermites et mystiques 153
    L'ermite de Tailaoshan 155
    Peter Matthiessen (né en 1927) 155
    Raymond Carver (1938-1998) 156
Rykkyu et la cuisine kaiseki 157
La shojin ryori, cuisine du corps et de l'âme 158

Les principes de la cuisine shojin 158
Nourrir le spirituel 159

LES NOURRITURES DU KI 161

Ne pas rechercher à tout prix le bonheur 161
Rechercher la santé pour préserver son ki 162

CONCLUSION 165

LISTE DE COURSES DES INGRÉDIENTS « DE BASE »
ET DES PRODUITS FRAIS DE LA SEMI-CUISINE
PERMETTANT DE RÉALISER TOUTES LES RECETTES INDIQUÉES..... 168

LISTE DES QUANTITÉS À CONSOMMER 171

LISTE DES USTENSILES ET DE LA VAISSELLE 172

QUELQUES TECHNIQUES DE BASE
POUR CUISINER SIMPLE ET FACILE 174

À PROPOS DES RECETTES DE CE LIVRE 180

Légumes au naturel.. 181
Soupes et potages dans la casserole 185
Les petits plats mijotés de la cocotte en fonte........................... 187
Petits plats chauds poêlés.. 190
Salades froides composées... 193
Sauces, dip et pickles 196
Desserts.. 200
Petits snacks pour petits creux 203
Le bol unique (ou bol-repas) 204
Le o bento 207
Sandwichs 210

Photocomposition Nord Compo
Imprimé en Allemagne par GGP Media GmbH

Pour le compte des Nouvelles Éditions Marabout
Dépôt légal : octobre 2010
ISBN : 978-2-501-06463-7
40.53443/01